Morango e Chocolate

Senel Paz

Morango e Chocolate

Tradução:
Eric Nepomuceno

MORANGO E CHOCOLATE

Título original: El lobo, el bosque y el hombre nuevo
Copyright © by Senel Paz

1ª edição — Abril de 2012

Grafia atualizada segundo o Acordo Ortográfico da Língua Portuguesa
de 1990, que entrou em vigor no Brasil em 2009.

Editor e Publisher
Luiz Fernando Emediato

Diretora Editorial
Fernanda Emediato

Produtor Editorial
Paulo Schmidt

Assistente Editorial
Diego Perandré

Capa, Projeto Gráfico e Diagramação
Alan Maia

Tradução
Eric Nepomuceno

Revisão
Josias A. Andrade

DADOS INTERNACIONAIS DE CATALOGAÇÃO NA PUBLICAÇÃO (CIP)
(Câmara Brasileira do Livro, SP, Brasil)

Paz, Senel
Morango e chocolate / Senel Paz ; tradução: Eric Nepomuceno.
-- São Paulo : Geração Editorial, 2012.

Título original: El lobo, el bosque y el hombre nuevo.

ISBN 978-85-8130-036-8

1. Contos cubanos I. Título.

12-02653   CDD: cb863

Índices para catálogo sistemático

1. Contos : Literatura cubana   cb863

GERAÇÃO EDITORIAL

Rua Gomes Freire, 225/229 — Lapa
CEP: 05075-010 — São Paulo — SP
Telefax.: (+ 55 11) 3256-4444
Email: geracaoeditorial@geracaoeditorial.com.br
www.geracaoeditorial.com.br
twitter: @geracaobooks

2012
Impresso no Brasil
Printed in Brazil

Sumário

Senel Paz: notas para um perfil 7

Debaixo do salgueiro chorão 17

Não diga eu te amo 31

Morango e chocolate 53

O anjo Ihosvany 99

Senel Paz:
Notas Para Um Perfil

Eric Nepumuceno

1. Senel Paz nasceu em 1950, numa cidadezinha chamada Fomento. Fiquei sabendo disso há alguns anos, mas nunca perguntei a ele em que ponto do mapa da Ilha fica Fomento. Sei que fica na província de Sancti Spíritus, mas sei também que isso não ajuda muito a localizar Fomento na memória da geografia cubana.

Senel Paz tinha oito anos naquele 31 de dezembro em que Fulgêncio Batista abandonou o poder e fugiu da Ilha. O Che Guevara entrou em Havana dois dias depois, seis antes de Fidel Castro chegar à capital cubana. Portanto, Senel Paz é um típico filho da Cuba revolucionário. Até em certos detalhes: infância e adolescência no campo, mais tarde a vida em Havana.

Há muitos anos — pelo menos desde 1979, quando seus contos reunidos em *El niño aquel* conquistaram o importante Prêmio David, ou de 1983, quando seu romance *Un Rey en el jardin* levou o Prêmio da Crítica — seu nome passou a integrar a estreita lista dos autores cubanos mais importantes da nossa geração. Houve ainda um terceiro livro de contos, *Los muchachos se divierten*. Em 1990, Senel ganhou o Prêmio Internacional Juan Rulfo, patrocinado pela Rádio Televisão Francesa. Naquela altura já havia publicado livros na Espanha e na Tchecoslováquia, e espalhado contos em antologias e revistas literárias de mais de uma dúzia de países. Seu trabalho premiado em Paris tem um título estranho: *El lobo, el bosque y el hombre nuevo*. Fazia parte, na verdade, de um romance chamado *Tigre de Agosto*. Ainda no final de 1993, Senel mencionou esse detalhe. Do romance, não tive mais notícia. O conto, adaptado para o cinema pelo próprio Senel, transformou-se num filme dirigido por Tomás Gutiérrez Alea e Juan Carlos Tabio, com o título de *Morango e Chocolate*. Foi um dos mais estrondosos êxitos de bilheteria em Cuba, onde estreou em novembro de 1993. E depois, chamou a atenção de plateias pelo mundo afora.

Como a maior parte dos autores da nossa geração, para viver Senel Paz escreve um pouco de tudo: teatro, rádio, televisão, cinema. Outro de seus contos de título estranho — o belíssimo *No le digas que la quieres* (ou *Escena de amor con Paul McCartney en la ventana*), que poderia ser traduzido assim: *Não diga eu te amo* (ou *Cena de amor com Paul McCartney na janela*) — virou filme, *Una novia para David*. Outros dois textos foram parar no cinema: *Adorables mentiras*, direção de Gerardo Chijona, e *El amor se acaba*, de Rebeca Chávez.

No turbilhão de Havana, Senel Paz continua tecendo suas histórias com terno e melancólico humor. E, sobretudo, com pontaria certeira.

2. De Senel Paz, sobre este nosso ofício:

"Escrever é uma tentativa de compreender a vida, de compreender a si mesmo e de dialogar com os outros. Muitas vezes é um prazer, um gozo, uma felicidade, porque a gente se sente muito bem criando personagens e histórias, e sabe que eles terão sentido para outras pessoas. Em outras ocasiões é um sofrimento: você sofre pelo que há de triste no destino dos outros e no seu, ou sofre simplesmente porque não pode escrever do jeito que quer, porque não consegue fazer com que suas histórias, no papel, sejam tão boas como em sua cabeça, pensa que nunca vai conseguir, que é impossível. Escrever é um trabalho difícil, duro, que poucos conseguem fazer bem. Exige muita paciência, muito estudo, muita perseverança. Além disso, como ter certeza de que um texto está definitivamente bom? Em muitas ocasiões, não tenho a menor ideia do que significa a criação literária, nem por que escrevo. Só sei que escrevo e que não posso deixar de escrever, e que sou capaz de defender com a vida meu direito de escrever."

3. Na verdade, escrever não é sempre fácil — em Cuba ou em qualquer outro lugar. No caso específico da Ilha, foi especialmente difícil num determinado período — aquele que os cubanos chamam, com evidente equívoco, de "quinquênio cor-de-cinza". O equívoco se deve, em primeiro lugar, ao fato de aquele período pesado não ter sido exatamente de cinco anos: foi um "quinquênio" de quase dez. E, em segundo lugar, por não ter sido exatamente cor-de--cinza: iniciado em 1970, o quinquênio de sete ou oito anos foi, na verdade, de um cinza-escuro, muitas vezes negro.

Senel Paz integra a geração que surgiu ao final daqueles anos, e que, portanto, se formou naquele tempo espesso. Uma geração de muitos poetas (alguns especialmente bons), pintores (alguns especialmente instigantes, inquietos) e escritores dos mais variados calibres. Uma geração que conheceu, sobretudo entre 1980 e 1988, um longo período de bonança na vida cotidiana da Ilha, e que, com razão, entendeu que era hora de ir além, de romper fronteiras internas, de buscar no processo cubano o espaço que aquele mesmo processo podia (e muitas vezes pôde) propiciar.

A geração imediatamente anterior havia padecido agruras, e vários dos nomes que permaneceram na Ilha (a maioria permanece) foram um exemplo contundente.

Penso, por exemplo, na influência certamente decisiva que um escritor como meu amigo Eduardo Heras León, nascido dez anos antes que Senel, teve sobre essa geração estabelecida nos anos 80. *Los pasos en la hierba* e *Acero*, de Heras León, mexeram com todos nós — para ficarmos em dois exemplos. A natural divisão de águas entre gerações significou, no caso específico de Cuba, a diferença entre os que acompanharam a Revolução e seu processo de mudanças e transformações desde um princípio (Jesús Díaz, Lisandro Otero, Miguel Barnet, para ficarmos em apenas três nomes), e os que foram formados ao longo do desenvolvimento de uma Revolução já estabelecida e institucionalizada (o caso de Reynaldo Montero, Abel Prieto e de Senel Paz, também para ficarmos em três exemplos). Para os mais velhos foi certamente mais tumultuado começar a descobrir os primeiros sinais de uma crise que foi se formando ao longo do tempo e terminou explodindo no começo dos anos 90. Para os mais novos, as próprias conquistas da Revolução serviram para que suas reivindicações e exigências fossem mais ousadas. O questionamento se deu a partir de bases mais amplas e afiadas. Lembro de um amigo, uns bons anos mais velho que eu, dizendo: "De repente percebemos que havíamos posto em risco algumas características fundamentais da nossa Revolução — sua inventividade, seu balanço, seu dinamismo, seu ar caribenho, nosso — ao abraçarmos alguns dos piores aspectos do modelo soviético". A minha geração (dentro e fora da Ilha) entendeu isso antes, mais depressa e de maneira mais aguda. Seu trabalho espelha essa necessidade de superar obstáculos, de se lançar em desafios, de renovar oxigênio — sem que isso signifique obrigatoriamente, como normalmente se quer ver de longe, ruptura.

4. A geração de Senel Paz viveu em Cuba os momentos mais críticos da Revolução. Mas vive esses momentos com olhos limpos. A soltura e a firmeza com que os temas especialmente espinhosos de vários (e muitas vezes penosos) períodos da Ilha são tratados acabam sendo uma característica dessa geração. Claro que houve antecedentes em que se apoiar: o trabalho de Alfredo Guevara à frente do ICAIC — o instituto de cinema, tradicional espaço de liberdade na cultura revolucionária de Cuba —, as ações de Silvio Rodríguez e Pablo Milanés, a teimosa persistência de vários grupos de teatro, e mesmo a ação de intelectuais que se mantiveram dentro de organismos oficiais para tentar romper, por dentro, com as amarras castradoras de uma burocracia estéril, infecunda e esterilizante.

Este é o complexo e irrequieto panorama da cultura cubana ao longo dos muitos anos que sucederam o "quinquênio cor-de-cinza", concretamente, a partir de 1977/1978. Este é o panorama que gerou obras como este livro e como o filme nascido dele.

Morango e Chocolate

5. Senel Paz é um sujeito de maneiras afáveis e serenas, um tímido de timidez olímpica, com uma enorme capacidade de dessacralizar, a partir de um humor suave e melancólico, todas as barreiras e limitações. Isso faz parte, é claro, do que ele escreve, porque faz parte do que ele é.

Num país de reclamações persistentes — não há maior equívoco e maior tolice do que imaginar os cubanos como gente resignada: eles são um dos povos mais reivindicadores que conheci —, a timidez de Senel chega a ser de um contraste hilariante. Ele mesmo ri disso.

"Outro dia consegui, depois de esperar mais de uma hora, entrar num ônibus apinhado de gente. Havíamos percorrido meia dúzia de quarteirões e faltavam ainda vários quilômetros até o meu destino: eu ia para o outro lado da cidade. Aos poucos fui buscando espaço naquela verdadeira lata de sardinhas, e quando enfim cheguei lá na frente, onde havia algum espaço, uma gorda senhora atrás de mim perguntou: 'Você desce na próxima parada?'. Eu, com minha irremediável incapacidade de dizer não, concordei. Desci do ônibus e caminhei o resto da manhã. Acho que foi por isso que aceitei transformar meu conto em roteiro. Gutiérrez Alea propôs, e achei que a ideia não daria certo, que eu deveria mesmo é escrever o resto do romance, mas você sabe, eu não consigo dizer não..."

Esse tipo de humor esconde o outro lado — absolutamente verdadeiro — de Senel Paz: aquele que faz com que ele afirme, com serena certeza, que seria capaz de defender com a própria vida o direito de escrever. De compreender a vida, de dialogar com os outros.

6. Nesta primavera brasileira penso em Senel e em meus amigos da Ilha. Nesta altura do ano, lá é outono. Penso no que vi de Cuba ao longo dos últimos muitos anos, penso no que eles viveram. Sei que *El lobo, el bosque y el hombre nuevo*, ou seja, a história de *Morango e chocolate*, é uma forma clara de revelar a realidade. E é, através de Senel, algo mais que uma conquista *dele*: é uma conquista de todos aqueles que viveram, por dentro e de perto, um processo absolutamente rico e generoso — rico também de contradições e desencontros, como todo processo armado pela alma humana. Acima de qualquer outra coisa, esta história é a visão e a voz de uma geração, de um país jovem e renovado. Uma história que é um canto à solidariedade, à tolerância, ao encontro.

Durante muitos e muitos anos os cubanos aprenderam a defender a qualquer preço sua dignidade coletiva, sua integridade. Esta história mostra que aprenderam também, ao custo de muitos equívocos e muita dor, a compreender a necessidade de se defender a dignidade individual, o direito de ser "o outro" de maneira singular, e não apenas plural. Um canto de amor aos Diegos desta vida, ao homem verdadeiramente novo: aquele capaz de generosidade, solidariedade, afeto e tolerância.

Rio de Janeiro, primavera de 2012.

Debaixo do Salgueiro Chorão

Acordo de madrugada, e gosto. Ouço as vacas mugindo no curral e as vozes do meu avô e dos meus tios que gritam com elas. Nenhuma é tão desobediente como Caramelo, uma vermelhona que sabe que é a mais linda do curral. Quando escurece, assim que me aproximo da cerca ela vem descendo devagarzinho a colina, que tem lá no alto os pinheiros floridos, para que eu a olhe, e eu olho, e vejo como o primeiro luzeiro da tarde fica bem dentro do arco formado pelos seus chifres, e conversamos. O avô se levanta às três da manhã, quando os dois despertadores tocam. Chama meus tios, que voltam sempre tarde para casa, depois de visitar suas namoradas, e os três saem para buscar as vacas. Mas desta vez eu não ouço os relógios, nem ouço

SENEL PAZ

na segunda vez, às quatro e meia. Então é a avó quem se levanta, faz café e senta para esperar que o avô chegue com o primeiro balde de leite, que ela ferve e depois manda o café da manhã para o curral. É seu jeito atarefado que me despertou, o ranger da lenha no fogão, a batida de alguma vasilha, o cochichar dos dois. Ou talvez seja a luz da lamparina e do fogão que chega na sala de jantar, vinda lá da cozinha, dá a volta para o quarto onde durmo e entra pela porta semiaberta. Nessa hora estou sozinho no quarto e gosto de olhar esse pequeno esplendor avermelhado e titubeante e escutar tudo o que se ouve: as vacas, as vozes, os ratos, de repente um cavalo, e sinto aquele friozinho porque mamãe está longe, muito longe desta casa. Então eu fico querendo falar com as plantas ou os animais. Ou me deixo levar pelos meus pensamentos e monto um cavalo tão bem como o tio Armando, e viro o namorado de Isabel, a namorada do meu tio Alberto, ou venho das ilhas Canárias e conheço a avó logo depois de ter vendido uma lavoura de tabaco, estreando uma guayabera de linho fino, e a gente se casa. Continuo e penso que encontrei muito dinheiro, e dou tudo de presente para mamãe, faço uma casa para ela e todos ficamos morando juntos. Porque nós somos quatro: minha outra avó, minha mãe, minha irmã e eu. Essa outra avó trabalha em Gavilanes, colhendo café. Eu gosto que ela trabalhe lá porque sempre traz queijo e doce de goiaba, e todas as histórias são novas, mas conta que tem uns penhascos e umas lombadas que quem escor-

Morango e Chocolate

rega e cai não aparece nunca mais. E eu quero que ela apareça sempre, não só por causa dos saquinhos de caramelos, dos bolos e da rapadura, mas porque quando ela me visita senta na sala de jantar na frente da outra avó e as duas começam a conversar falando desse mundo de gente que conhecem. Eu olho para as duas para ver se decido qual das duas é mais linda ou de qual das duas eu gosto mais. Se tiver sido muita a rapadura e muitos os bolos que aquela avó me trouxe, fico achando que ela ganhou, mas se ainda há pouco fui com esta procurar ninhos das galinhas ou me levou até a lagoa dos jambos e eu me banhei, acho que quem ganhou foi ela. Mamãe vem me ver menos que a avó, trabalha aqui mesmo no povoado, e é quem compra a roupa e os sapatos, e minha irmã está na casa da sua madrinha. Às vezes sou eu quem está na casa da madrinha e minha irmã aqui, ou nós dois estamos na casa da Clotilde, uma prima de mamãe, ou na casa de dom Gervásio, que não sei direito que parentesco tem com a gente. Também me deixam na casa de Mundito Gutiérrez, compadre da minha avó, mas minha irmã não, porque ela já está grande e o neto de Mundito Gutiérrez também, e pode ter saído folgado que nem o pai, que em paz descanse. O avô diz que Glória e eu não podemos estar aqui ao mesmo tempo, que é de onde a gente mais gosta, porque com certeza damos um trabalhão danado para a avó, ficamos doentes à toa e somos duas bocas; mas, um de cada vez, pode. Outra coisa que ele diz é que mamãe pode entrar e sair desta casa quando bem entender, de dia ou de noite, e quando chega é servida do bom e do melhor que houver, porque mamãe não foi a malvada, o malvado foi papai, e diz que minha irmã e eu não temos culpa. Minhas três tias solteiras são as que não querem que mamãe venha aqui, e botam vassouras com sal atrás da porta e se escondem nos quartos com as orelhas empinadas até ela ir embora, e o que menos gostam de nós é que fazemos xixi na cama por pura sem-vergonhice, e elas bem que avisam e ameaçam. O único lugar em que a gente pode fazer xixi na cama sem que ninguém brigue com a gente é na casa da prima Clotilde porque lá a gente dorme com os outros priminhos, todos numa cama só, e de manhã não dá para saber quem foi que fez xixi. Mas acontece que na casa da prima Clotilde nem minha irmã nem eu fazemos xixi na cama, veja que danados são os nossos xixizeiros. Não sei se a avó gosta que mamãe venha, porque ela bem que a recebe na sala e oferece café e conta histórias de como somos obedientes e sossegadinhos, é igualzinho como se não tivesse criança na casa, e que se não fosse por causa da comida nós dois poderíamos ficar juntos. Mas acontece que é só o avô dizer que podemos ficar aqui que a gente fica, e que mamãe pode nos visitar para que ela nos visite, porque contra o avô ninguém se atreve. Nem a vaca Caramelo.

Mas não é disso que eu ia falar, nem é por isso que estou debaixo deste salgueiro chorão desde que amanheceu, vestindo calças e camisa de sair, penteado até agora e sem tirar nem um segundo os olhos do caminho. Nesta madrugada eu estava falando com a avó na cozinha, esperando que a neblina levantasse para ir até o curral e ver ordenhar as últimas vacas, quando o avô chegou e se dirigiu a mim: "O senhor sabe, mocinho, que dia é hoje?". Eu não sabia e olhei para a minha avó para que ela me socorresse. "Hoje é noite de Natal e a gente vai assar um leitão", ele disse. "Mas o importante mesmo é que seu pai vai aparecer para conhecer o senhor, mocinho. Que alguém penteie seu cabelo e vista em você uma roupa logo cedo, e não vá se sujar, para ficar decente." Ficou olhando para mim e eu olhei para ele e para a avó. "Vamos deitar mais um pouquinho", disse ela quando o avô saiu, e me carregou para a cama. Mas eu não dormi. A primeira coisa que decidi foi não comer tangerinas nem goiabas para ficar com muita fome e comer muito na frente do meu pai quando pusessem a mesa. E quando minhas tias ficaram sabendo que meu pai vinha hoje se alegraram muito e disseram que iam varrer e baldear a casa e esfregar os móveis e me pentearam e me vestiram. Vim para o quintal com meu chapéu para escolher o lugar onde esperar papai. "Ei! Aonde é que você vai todo emperiquitado? Está achando que é o Mundito Gutiérrez?", disseram as galinhas assim que me viram sair. Mas eu não dei confiança e disse aos cravos das dez que se abrissem às nove, e à dama-da-noite que perfumasse o dia, e às borboletas que ficassem vigiando para voar assim que papai aparecesse, e aos gatos que cada um caçasse um rato e recebessem papai com o rato na boca para que ele visse que são bons caçadores. E me plantei no meio das roseiras, com a ideia de ficar ali e fazer de conta que não via papai chegar para que ele perguntasse: "E quem é esse homem que está cuidando das plantas?" "Esse — responde a avó — é o seu filho", mas logo depois havia muito sol e fui para a sombra do *flamboyant* do quintal e agarrei um machado para começar a cortar lenha para que papai dissesse: "E esse senhor que está trabalhando tanto, quem é?". "Ah — diz a avó — esse é o seu filho". Mas achei melhor não, porque tem um ninho de cupim feiíssimo lá no alto, e acabei vindo parar debaixo deste salgueiro chorão e aqui estou esperando, nesta posição em que pareço um vaqueiro. "Quem é esse homem tão sério e de tanto respeito que está parado ali?", pergunta papai. "É o seu filho!", responde a avó. "Não me diga: como é grande e bonito! Corre aqui, meu filho, que eu quero cumprimentar você e dar os presentes que trouxe. Como vai a sua irmã, como vai a sua mãe? Diga a elas que mandei lembranças." E quando chegar perto, me dirá: "Igualzinho a mim. Agora, quem vai educar você sou eu, vou levar você para Camagüey e você vai entrar na escola". Papai vai aparecer pelo caminho montado em seu cavalo branco e com os alforjes cheios de presentes. Quando estiver atravessando o rio, irá se erguer nos estribos, e vai gritar: "Que meu filho venha me encontrar!", e eu vou correr tudo que puder, com o chapéu na mão, e ele vai me erguer até a montaria e o cavalo branco vai bufar fazendo sua pele tremer,

Morango e Chocolate

como fazem os cavalos lindos, movendo a crina e a cauda e com os olhos bem abertos de alegria. Meu pai é meu pai, e eu quero conhecer meu pai. Por isso continuo debaixo desse salgueiro chorão sem mudar minha posição de vaqueiro. Ele é o homem que está retratado a cavalo na sala, quando era jovenzinho. Teve mais namoradas que os tios Armando e Alberto juntos, diz a avó, e não porque seja seu filho mais velho, diz, mas não havia homem mais bonito nesse bairro, nem que inventasse uma quadrinha melhor. Minha irmã viu meu pai uma vez e me contou que é mais alto que o avô, mais robusto, mas tem a mesma voz, e o riso do tio Armando, e os olhos do tio Alberto, e só o nariz da avó. Tio Alberto é quem mais se parece com ele, pelo caminhar, pelas sobrancelhas, e porque fala do mesmo jeito, jogando as palavras por um lado só da boca. Os dois gostam de camisas xadrez, de chapéus negros e de ficar parados como os vaqueiros que são. Eu também me pareço com ele, todo mundo diz, me conhecem pela estampa, e é que comigo acontecem as mesmas coisas, tenho a mesma pinta, a mesma forma de andar, de dormir, e tudo isso sem jamais ter visto meu pai, só naquele retratinho da sala, e é porque o sangue chama, é o mesmo sangue. A avó diz que quando era menino ele também foi magrinho e baixinho de dar dó, mas não ficava tão doente como eu, e trabalhava mais. Na minha casa não posso falar dele, e quando os parentes de mamãe dizem que é um sem-vergonha e que minha mãe é muito boa, e que quando eu crescer vou ter de cuidar muito da minha mãe e que se ele precisar de mim devo dizer que não, para que se lembre de que não cuidou de mim quando devia, eu digo que sim, que vou fazer isso mesmo, mas me dá pena do meu pai, tão sem-vergonha que todo mundo fala mal dele, vai ver foi alguma poção que alguma mulher deu de beber para ele. Às vezes eu imagino que sou meu pai e estou retratado na sala, nesse mesmo cavalo, e depois vou até o povoado e trago as encomendas que a avó gosta para que ela guarde tudo na cristaleira velha. Em seguida me casava de novo com mamãe. Outras vezes acho que é com ele que durmo, não com o tio Alberto, e ele me cobre para que os mosquitos não me piquem, e melhor ainda quando não é o tio Armando que me leva para dar umas voltas na égua velha, mas ele, e conversamos, e ele me pergunta pela minha irmã, e eu convido ele para nos fazer uma visita.

Mas não vinha nunca, e eu precisei comer uma tangerina, e comi outra, sem perceber, e depois uma goiaba, sem perceber. E perdi a punhalada no leitão, não vi como ele resistiu, nem vi como é por dentro um leitão morto. As tias terminaram de arrumar a casa e a última delas está no banheiro. A avó me diz que sim, que meu pai vem, que está para chegar, e fui até o palmeiral e contei para as palmeiras, que são minhas amigas, e agora elas também estão só esperando ele chegar para irem recebê-lo. As tias cortaram flores novas para todos os jarros e a avó deixou em cima de um tamborete o avental branco e bordado para vestir assim

Morango e Chocolate

que ele estiver chegando. A cada tanto espia o caminho ou me pergunta se ainda não apareceu. "Ele vai chegar lá pelo meio-dia", disse. Mas passou o meio-dia e eu precisei dizer aos cravos das dez que não se fechassem à uma, e à dama--da-noite que continuasse jorrando perfume, por favor. Ainda bem que uns passarinhos estão fazendo a festa no *flamboyant*. E eu estou derretendo porque este salgueiro chorão tapa pouco o sol. Se minha camisa sujar, não tenho outra. Na certa mamãe vai me perguntar: "O que é que seu pai falou, ele achou você grande, gordo, bonito, e perguntou pela gente, pela sua irmã, e deu algum dinheiro para você?". O que eu quero mesmo é que ele chegue de uma vez.

— Lá vem Joaquim! — escuto minha tia Rosa dizer de repente num canto do portal, e larga a vassoura e corre para dentro ajeitando o vestido.

— Lá vem Joaquim! — repetem da cozinha todas as tias e a avó, e os tios abandonam correndo o leitão que estão assando debaixo de um sapoti. Só o avô fica lá, e ajeita o chapéu e o cinto. Os gatos procuram seus ratos, Caramelo vem até a cerca, o teto da casa brilha, as borboletas se alvoroçam, os pássaros cantam nas árvores, e todas as galinhas chegam na frente da casa como se alguém tivesse espalhado milho.

Joaquim é o meu pai, e eu o descubro em cima do seu cavalo branco, aparecendo e desaparecendo entre as palmeiras, mas lá no caminho. Vai chegar na porteira e pegar a trilha. Nesse momento ainda não precisamos sair ao seu encontro, só depois do arroio, quando o cavalo começar a subir a encosta e vier devagarzinho pela sombra das amendoeiras. Então, já estarei vendo seu rosto. A avó terá saído da cozinha com o avental branco e bordado, limpando as cinzas e as marcas de gordura do fogão. Depois virão as tias, com flores nos cabelos, todo mundo sorrindo, e depois os tios. Eu fico onde estou, debaixo do salgueiro chorão, com um pé em cima de uma pedra e uma mão na cintura como se fosse meu tio Alberto conversando, e todo mundo já vem vindo pelo jardim. Os cravos das dez, a dama-da-noite, os jasmins e as rosas jorram seus odores. Meu pai já cruza o palmeiral, é quase tão alto como as palmeiras, que correram para a beira da trilha e o aplaudem. Os lambaris do arroio saltam. O cavalo branco é enorme e já dá para ver que papai vem sorrindo e o primeiro botão da minha camisa pula fora de tanto que meu peito incha. A avó não resiste à tentação e corre. Alcança papai no meio do descampado, escuto suas risadas, e ele estende os braços para ela, faz ela subir no cavalo. A avó ri e beija meu pai e tira o chapéu dele. É melhor eu ir cortar lenha debaixo do *flamboyant*, mas já não dá tempo. As tias esperam na beira do terreiro e o cachorro do meu pai anda pelo quintal, farejando. Papai deposita a avó no chão, pula do cavalo e abraça e beija a primeira irmã, a segunda, sem que a primeira se solte dele, e beija a terceira sem que a primeira, a segunda e a avó se soltem dele, e chega a vez dos meus tios: uns abraços fortes e uns tapas nas costas que ouço daqui, e todos caminham abraçados e rindo. Será que papai gosta

Morango e Chocolate

de doce de cidra que nem eu? Chegam perto do salgueiro chorão. O segundo botão da minha camisa já saltou, e os passarinhos de todas as árvores piam porque também querem ver meu pai e seu cavalo que acompanha a comitiva, muito orgulhoso de ser tão branco e tão lindo. Estão chegando. E finalmente vejo meu pai, que não me viu. Vejo meu pai completamente. Daqui em diante vou me lembrar dele sempre assim, sorrindo, com os dentes tão brancos e como se estivesse saindo do banho, eu parado debaixo do salgueiro chorão e ele parado contra o sol. Como ele é grande! Sinto que não poderei dizer: "A bênção, papai, como vai? Como vai a sua mulher", nem poderei responder agora quando perguntar pela minha irmã e pela minha família, porque... que bigode, o dele, e como ri bonito, e como todos riem gostoso, e sinto vergonha porque não estou rindo e eles estão chegando. Vão passar pelo meu lado sem me ver. Melhor eu mudar de posição, mas sem deixar de parecer um vaqueiro como ele. Já sei: vou tossir, vou dizer alguma coisa: "Tia Rosa, você viu meu laço de vaqueiro?". A avó olha para mim. Tinha de ser ela, com tantas flores bordadas no avental, que me visse. Agora sei muito bem, gosto mais dela que da outra avó. Afasta com seu braço o tumulto da família, abre uma vereda que vai do meu pai até mim, e apontando com a mão, diz: "Olha aqui, Joaquim, esse é o seu filho". Como é que justo agora não estou com o caracolzinho que me dá sorte na mão? Quero disparar correndo até ele, mas seu olhar me detém, e espero as palavras que ele vai dizer: "Tem os olhos saltados que nem a família da mãe", diz, e fecha o círculo da sua família, e todos continuam indo para a casa, de onde sai o avô com os braços abertos. "Achei que o senhor não vinha mais, seu moço", diz a ele. Estão se abraçando. Com certeza vão ver o leitão assado.

Eu vou comer uma goiaba e sair por aí, procurando ninhos de galinha.

Não Diga
Eu Te Amo

Arnaldo contou para todo mundo que naquela noite eu ia para a cama com uma mulher. Não disse, é claro, que era a Vivian, mas nem precisava, todo mundo deve ter imaginado, porque nesse colégio ninguém é bobo. Então, naquele dia esperei que todo mundo tomasse banho e, quando não faltava mais ninguém e ninguém ia me perguntar coisas, eu entrei no chuveiro, com toda a calma do mundo. E me esfregava duro, sabonete uma e outra vez, unha, e água, muita água. Os russos são muito bons, nos defendem e salvaram a humanidade e tudo, mas fazem uns sabonetes asquerosos. Eu ficava pensando... vai ver a Vivian resolve me cheirar aqui, ali, e me tocar... sei lá, com certeza ia me cheirar e tocar, e eu queria estar bem limpo e cheiroso em todos os lugares, e repassava mentalmente os lugares onde eu a beijaria, onde *tinha* que beijar, de acordo com Arnaldo, para que ela nunca me esquecesse, para que nunca esquecesse a sua primeira vez com um homem, comigo, e que até quando estiver velhinha, ao pensar em mim me tenha na mais alta consideração. Arnaldo tinha me explicado três ou quatro coisas que a gente precisa fazer nas mulheres, e principalmente tinha me avisado muito bem que nunca, de jeito nenhum, por razão alguma desta vida, nem no momento supremo, eu dissesse que amava ela, porque se uma mulher sabe que você a ama, veja bem, aí mesmo você está perdido, porque vai ser dispensado e ela vai fazer você sofrer de um jeito danado, dizia Arnaldo. Mas naquele dia eu cantava e tudo. E esfreguei as orelhas, lavei a cabeça com xampu três vezes, esfreguei as costas, tirei uns fiapinhos do umbigo, fiz a melhor barba do mundo e escovei os dentes e a língua. Estou dizendo, fiquei que era um brilho só e tinha um contentamento tão grande e sorria cada vez que tropeçava comigo mesmo no espelho ou fazia caretas para mim como se fosse um Charles Chaplin ou alguém assim porque, veja só, eu sabia o que ia acontecer dali a algumas horas, e era a primeira vez, e era com a Vivian, que eu amava e que me amava e, juro, eu tratava de não pensar em nada, de não me adiantar aos acontecimentos e respeitá-la no pensamento. Mas você sabe como é a cabeça da gente, pelo menos a minha cabeça, porque eu digo para a minha cabeça: "Não pense nisso porque é uma falta de respeito", e ela me diz: "Não se preocupe,

Morango e Chocolate

não vou pensar, fique tranquilo", mas é mentira, é a primeira coisa que ela faz, e percebi porque o sexo, o meu sexo, foi se entusiasmando e quando vi ele já estava apontando para o teto. O que fiz então foi me agarrar na pia, fechar os olhos, me concentrar bem e imaginar um campo florido, bem extenso, com muitas, muitas florzinhas batidas pelo vento, e pronto, passou, e respeitei a Vivian, do jeito que eu queria. Porque quando eu me excito por gosto ou num lugar onde não é correto, na sala de aula, por exemplo, onde você corre o risco de ser chamado ao quadro-negro, penso em florzinhas e sempre funciona. Mas desde que sejam amarelas.

Então, naquele dia, conforme ia contando, eu estava no banheiro, todo contente e sentindo essa emoção que sinto quando penso na Vivian, e outras emoções, e já tinha acabado e estava resplandecente quando abri a porta, justo naquele dia. Santo Deus!, estava todo mundo me esperando lá fora, aquela legião de bandidos, todo mundo tão quieto que eu nem tinha percebido que estavam lá, formados em fila dupla até a minha cama, feito a corte que vai despertar o rei. "Eeeeeei!", me receberam a travesseiradas e pescoções. Eu bem que tentei voltar para o banheiro e trancar a porta, mas não adiantou. "Quer dizer que você ia virar homem sem contar para os amigos?", disseram. "Vamos perfumar ele!" E me carregaram pelado e me puseram numa cadeira. "Vamos engraxar o saco dele para que as bolas fiquem brilhando?" "Nada disso, cavalheiros, porque vai demorar muito." "E pasta de dentes nos sovacos?"

Decidiram que eu não estaria elegante com minha camisa social, mas sim com o blusão preto que trouxeram da Tchecoslováquia para o Jorge. "E aí, come-quieto? Comeu amendoim?" Jogaram em mim uns cinco tipos de desodorantes, me obrigaram a chupar uma bala de hortelã para ficar com hálito fresco, eu não tenho mau hálito, quem é que disse?, a hortelã também serve para outra coisa, bobão, me levaram até o espelho e, quando se cansaram de me pentear, comentaram que não havia ator de cinema que fosse mais boa-pinta que eu, parecia primo do Alain Delon, e remexeram a minha carteira e puseram lá dentro a contribuição dos amigos. Eram gozadores, amistosos, invejosos, mas já eram quase três da tarde. "Cavalheiros, o nosso Dom Juan não pode se atrasar", e os bandidos me deixaram em paz. Arnaldo me puxou de lado e me explicou uma vez mais como é que tinha de fazer para que no lugar onde eu fosse levar a Vivian ninguém notasse que eu era novato e me cobrassem o dobro, e me desejou sorte, muita sorte, campeão, e que quando eu voltasse acordasse ele para contar, na hora que fosse, e que não dissesse à Vivian eu te amo, pelo meu pai e por todos os santos, estava na cara que eu ia ter esse momento de fraqueza. Ele me dizia isso porque eu tinha contado que quando beijo a Vivian vejo faíscas e ouço música e fico achando que flutuo ou estou dando voltas num carrossel, nem consigo explicar o nó que se arma na minha cabeça quando beijo a Vivian. "Não enche, David, que faísca nem música nem o cacete; o que você tem de fazer é bufar que nem um cavalo, meter a língua até a garganta dela, chamar ela de puta, dizer 'vou te comer', e empurrar com toda força para que ela sinta o tamanho do seu bicho; é isso o que você tem de fazer, é disso que elas gostam, e não de romantismo." Eu ainda duvidava, sério mesmo. E naquele instante comecei a duvidar mais do que nunca e a ficar nervoso. Queria que o tempo voltasse atrás e que aquele momento não chegasse. Veja você, naquele instante, quando já estava indo buscar a Vivian. Eu me perguntava se estava agindo certo, se tinha feito bem em exigir aquilo, se era amor eu forçar a Vivian a escolher entre ir para a cama comigo ou terminar tudo, se eu devia mesmo ter acatado o Arnaldo e alugado o quarto que estava à nossa espera. Mas não dava mais para se arrepender, não tinha mais jeito, o que o Arnaldo ia dizer, e a própria Vivian, depois de ter concordado, o que iria pensar? E agora todo mundo estava sabendo. O que eles iriam dizer se eu voltasse com o rabo no meio das pernas sem ter cumprido a minha missão? Não, não podia voltar atrás, tinha que ir em frente com meu papel, a não ser que ocorresse uma causa de força maior: que me batesse uma dor de estômago tão forte que ela precisasse sair comigo correndo para o hospital, ou que caísse uma chuva torrencial e as ruas se inundassem de repente, e que houvesse desmoronamentos. Mas nada disso acontecia, eu não tinha nem dor de dente, e a tarde resplandecia e me lembrei dos pudins, foi disso que me lembrei. Você deve achar que fiquei maluco.

É que eu nem gosto tanto de pudim, mas aqui no internato volta e meia tem pudim e seu movimento suave, seu jeito de ser ereto, sua cor, essa maneira com que os pudins olham para a gente com vontade de serem comidos me fazem lembrar os seios de Vivian, seus seios tão lindos que cabem na concha da minha mão, num único beijo da minha boca, e aí eu como três, quatro, cinco pudins, e troco minha carne ou meu peixe com qualquer um, por um pudim. Já nem sei se foi nesse momento ou depois que os pudins me passaram pela cabeça, quando cheguei no alojamento dela Vivian saiu para me receber vestida de preto. Uma loura vestida de preto é a coisa mais linda que há, ou de verde, e também de vermelho. O vestido realçava seus seios e o vermelho da boca, vai ver foi aí que me lembrei dos pudins. E eu também não podia desistir por causa do meu compromisso político. Sim, eu tinha um compromisso político que se relacionava com tudo aquilo. No ano passado fui eleito *jovem exemplar*, mas disseram que não pude virar militante da Juventude porque me faziam falta maturidade e responsabilidade, e tinha que me preparar, me deram um ano para que eu me preparasse e adquirisse maturidade, para que lesse os jornais e ficasse conhecendo a situação internacional. E eu comecei a fazer tudo isso, e as coisas estavam indo bem e já se comentava da minha mudança quando a Vivian apareceu na classe. Ninguém tinha me avisado que a gente ia ter uma companheira nova, e quando entrei na sala de aula e dei de cara com ela juro que o que senti na hora foi um coice de cavalo no peito. Precisei me sentar e abrir a boca para que o ar chegasse aos pulmões. Eu tinha ouvido dizer que quando você gosta de uma menina pode sentir tontura, insônia, gastrite, mas sempre achei que era exagero. E então, na assembleia seguinte de exemplares não consegui nem nove votos. Ficaram uma hora me criticando, dizendo que primeiro eu havia avançado, mas depois tinha retrocedido, e que isso era pior ainda porque mostrava inconstância, falta de firmeza, egoísmo, e perguntavam o que é que eu achava daquilo tudo, porque importante mesmo era eu aceitar as críticas, que interiorizasse cada uma delas, conforme disse o companheiro da Juventude que dirigia a reunião. E eu disse que sim, que aceitava as críticas, que as interiorizava, mas prestei atenção mesmo foi em quem não votou em mim e disse para as minhas entranhas que eram um bando de merdas. Até o Arnaldo, na hora da votação, se fez de bobo e não me apoiou. Depois, quando ficamos sozinhos, ele me disse que guardar ressentimento era uma falta mais grave ainda, que eu fosse honesto e admitisse que mal ia às aulas, que de um tempo para cá eu não dava a menor bola para nada, e que passava a vida suspirando atrás da Vivian, sem vontade de fazer mais nada, e então, que classe de militante comunista eu podia ser? "Você não tem combatividade, David; você ouve alguém expressando uma ideia incorreta e não enfrenta; se dependesse de você, todo mundo ia poder pensar e fazer o que bem entendesse." Eu e

Arnaldo num canto, analisando o problema. Mandaram que ele fizesse um trabalho político comigo, percebi no ato, e sentia muito porque para mim ele é que nem um irmão, mas daquela vez não ia conseguir cumprir a missão, até que, deixando de lado o olho político, ele me disse: "Você quer que eu diga qual é o seu verdadeiro problema?". Levantei a guarda. "A Vivian." "Eu não tenho nenhum problema com a Vivian, cara. Deixa disso, não bota a Vivian nesse caldeirão." Eu não falo assim nem gosto de falar assim, mas ali, no colégio, a gente precisava falar desse jeito, e interrompendo o Arnaldo porque eu sabia como vinha a mão. "Está bem, garoto", disse ele, mais suave, "olha só, a história de vocês dois chegou num ponto em que, para usar palavras de Pablo Milanés, fazem falta a carne e o desejo também." "O que você quer dizer com isso?" "Que você tem de ir para a cama com ela." "Um momento, parado aí! De que tipo de mulher você acha que está falando? De uma dessas que vão fácil para a cama, como essas namoradas que você arranja nas esquinas? Eu respeito a Vivian e ela me respeita, nós nos respeitamos." "Vós vos respeitais", ele completou a conjugação, "mas precisam ir para a cama, ou você nunca jamais vai ser um militante; além do mais, você não quer saber de outra coisa, não vem querendo me engabelar com essa carinha de santo; sim, sim, sei que você é dos românticos e delicados com a linguagem, mas na hora de arranjar namorada foi logo arranjando uma com uma tremenda bundinha." "Eu não vou

Morango e Chocolate

permitir...!" "Tremenda bunda sim senhor", e ergueu a voz dois tons acima da minha, "e se solta um peido numa caixa de talco a neblina dura uma semana! É ou não é?" Arnaldo é assim, não dá para discutir com ele quando fica grosseiro, mas sei que ele gosta de mim e que tudo que diz é para o meu bem. "Olha aqui", e voltou à carga baixando a voz e retornando ao terreno da política, "a gente vive num país em constante perigo de agressão, e que bonito se amanhã os ianques nos invadem e você caísse em combate sem ter visto como a coisa é, virgem; garanto que não iam pôr o teu nome nem num botequim." Fulminei Arnaldo com os olhos. Ele me passou o braço sobre os ombros e me obrigou a caminhar. "Nós, homens, precisamos ser homens e isso ficou complicado no nosso tempo porque agora as coisas não são como antes; antes, no capitalismo, quando você fazia treze ou catorze anos seu pai ou um irmão mais velho levava você a um prostíbulo e pronto, você começava na vida; agora, não, porque aquilo era uma lacra social que precisou ser eliminada, e eu entendo isso e você também entende, tenho certeza, mas e o que foi que aconteceu com a gente, com os estudantes, que ficamos no ar? Eu acho que deviam ter deixado um prostíbulo, um só, unzinho, pedagógico, para os estudantes e os recrutas." Fiquei olhando para ele, tentando adivinhar onde é que ele queria chegar. "Então, no socialismo", concluiu, "a gente tem que ir para a cama com as namoradas e não há nenhum problema moral nisso, está lá, no *Manifesto Comunista*." "O

Manifesto Comunista diz isso?" "Diz sim senhor, que na nova sociedade o amor é livre e que a mulher se libera e tem o direito de deitar com quem quiser e quando quiser." "Vou ler." "Leia, leia, que além disso fala de muitas outras coisas."

Fiquei pensando nisso tudo, na coisa política, quer dizer, na minha atitude egoísta e na minha falta de compromisso. E quando fiquei sozinho jurei que, sem deixar de pensar na Vivian, não cometeria outras falhas e seria um cidadão digno e útil, aceito por todo mundo. Não jurei pelo Che porque o Che não é nenhum santo nem nada, mas estava me lembrando dele quando prometi tudo isso a mim mesmo. Mas claro que não era isso o que eu estava pensando naquele dia quando ia buscar Vivian no seu alojamento. Não, naquele dia eu pensava nela e tratava de ajeitar as moedas e o trocado no bolso para não fazer barulho na hora de caminhar. E me lembrava das nossas conversas na sala de aula, nos recreios. Graças a ela sei de cor o nome de seus familiares, os aniversários, e ela o dos meus, a arrumação da casa, as pintas que a gente tem. A gente contou milhões de vezes um para o outro o jeito que nossas coisas estão arrumadas nos nossos dormitórios, quem dorme em cada beliche, quem ronca e quem não ronca, e quem divide a comida e quem não, e quem são os militantes que a gente considera bons de verdade. A gente falou e falou: do diretor, dos professores, da escola, do que a gente ia fazer se de repente víssemos Fidel. Contei a ela quase tudo que sei do que significa ser homem, como é o nosso desenvolvimento, que meus mamilos doeram loucamente

Morango e Chocolate

aos doze e treze anos e que não há nada como um golpe nos testículos, e ela contou que para ela é nos seios, que sua primeira menstruação foi aos doze e que o furinho por onde se urina é outro. Você não fala dessas coisas com a sua namorada? Nós falamos, e escrevemos coisas um para o outro nas últimas páginas dos cadernos, dos meus, porque com os seus ela é muito ciumenta. Todos estão encapados, e em cada capa tem uma fotografia do Che. Nós às vezes olhamos o Che. "Onde estará agora?", ela me pergunta. "Em algum lugar da América", digo. Havia estado na África e agora estava na Bolívia, mas a gente não sabia. "Às vezes acho que pode acontecer alguma coisa com ele." "Com o Che? Não, menina, não, que boba... ele é um homem que luta por grandes ideais." E enquanto conversávamos nos olhávamos bem de pertinho, os olhos, a boca, que boca tem a Vivian, e pegávamos nossas mãos para saber se estavam frias ou quentes, para ver qual era maior e eram sempre as minhas, para estudar nossas linhas da vida e da morte. Tudo isso disfarçado, entende? porque a gente ainda não era namorado. Ela gostava dos Beatles e de Silvio Rodríguez e eu só dos Beatles, embora não soubesse se isso era certo porque são americanos ou ingleses e acho que usam drogas. O que ela mais gosta do Silvio é que sendo revolucionário e tudo usa cabelos compridos e roupa suja. "Isso é ser *hippie*, rebelde por decisão própria", eu às vezes dizia incomodado porque me chateia tanta admiração, "na nossa sociedade não tem por que protestar"; mas ela o defende. "Será que você não entende que o que ele quer dizer é que nós somos como somos, e que não nos planejem tanto as coisas?". E você se lembra daquele dia terrível? Eu tinha dito a ela que precisávamos conversar sobre uma coisa muito importante, que precisávamos nos encontrar no recreio. Ia pedi-la em namoro. Não podia continuar sem pedi--la em namoro e queria descobrir uma forma original de fazer isso. Arnaldo conquistou uma garota brincando de adivinhar palavras numa caderneta. Escreveu para ela *Eu gosto de você*, começando com *Eu g* e deixando uns pontinhos ao lado, para que ela preenchesse e adivinhasse; mas Vivian, assim que percebeu o que eu ia dizer não quis continuar a brincadeira. Li num livro que uma moça disse ao rapaz, oferecendo as mãos para ele: "Leia o meu destino". E ele respondeu: "Seu destino não está nas suas mãos, está nas minhas". Que lindo que é isso, é ou não é, mano velho? Como é que eu não tive essa ideia? Então, quando naquela manhã chegamos na escola, todo mundo estava em fila no pátio central e num silêncio como nunca havia tido antes. Eu a procurei e a vi ao longe, querendo lembrar a ela que no recreio a gente ia falar do assunto importante que eu havia anunciado, lembra? mas o que ela respondeu foi "O que aconteceu? Você está sabendo?". E eu então também compreendi que alguma coisa estava acontecendo. Os professores estavam debaixo das amendoeiras e sabiam, e parecia que era alguma coisa terrível porque algumas professoras choravam. Seria uma invasão norte-americana? O diretor subiu num estrado e olhou para todos nós, que olhávamos

Morango e Chocolate

muito atentos para ele. Se você tivesse visto aquele olhar do diretor já não teria nenhuma dúvida de que alguma coisa muito grave tinha acontecido, mas o que seria? O diretor, nervoso, deu umas batidinhas no microfone, que funcionava perfeitamente e não precisava de ninguém para bater nele, mas é que o diretor não conseguia, as palavras não saíam e ele olhava para nós, até que finalmente largou num jorro só: "Mataram o Che Guevara na Bolívia, nós vamos todos para a Praça da Revolução, para um ato solene, e agora, na maior disciplina, podem ir para as salas". Foi o que ele disse. Ficamos suspensos no ar não sei por quanto tempo. A coisa seguinte que eu senti foi Vivian recostando no meu ombro. Chorava. "Eu sabia que isso podia acontecer um dia", disse ela, e fomos para a sala de aula, nos sentindo mal, vendo o olhar do Che em todo canto, seu sorriso, escutando ele dizer *no imperialismo não se pode confiar nada, nem um tiquinho assim*. Era como se caminhássemos debaixo de um céu de imagens do Che e em cada folha das amendoeiras houvesse uma imagem dele e chovesse e fizesse frio. Maria se juntou a nós. "Ai, Vivian, ai, Davizinho!", disse ela, e nós três fomos andando abraçados. Que tristeza! Vivian tirou as capas de seus cadernos e guardou todas em silêncio e finalmente disse que não, que ela não acreditava, de jeito nenhum, não podia ser. "Quem dera, Vivian, mas veja bem, você enlouqueceu? Como é que iam dar uma notícia dessas se não fosse verdade?" Mesmo assim, ficamos com um pedacinho de esperança, com a ilusão de que chegasse algum desmentido, que ele estava ferido, mas não morto, ou coisa parecida, até que chegamos na Praça, todos na Praça, e o Fidel mais triste do mundo disse que era aquilo mesmo, que tinham matado o Che na Bolívia, mas que nós não podíamos morrer por causa daquilo nem por causa de nada, mas deveríamos ser mais e melhores revolucionários, que essa era a melhor maneira de honrar o Che, e voltamos para a escola, ela e eu de mãos dadas, não porque fôssemos namorados, não, mas para nos ajudarmos. E não pedi a Vivian em namoro naquela semana, e acho que nem na outra, não me lembro direito, e não pedi porque perdi a vontade...

Mas, bem, naquele outro dia ela estava com o vestido negro que eu disse e fomos ao cinema e quando saímos a noite estava tão linda. Havia chovido e havia luzes e cores e muita gente e umidade e ela caminhava ao meu lado, apertada contra mim, com os cabelos soltos. "Por que estamos indo tão depressa? O que você achou do filme? Vamos comentar", e começou a dizer seu parecer, o foco social e sei lá mais o quê. Eu nem ouvia o que ela dizia nem tinha visto o filme e meu coração queria saltar porque no cinema, imagine só, me lembrei que existem casais que, dizem, na primeira vez não conseguem: ela fica com medo, tem hemorragias tremendas, e precisa chamar uma ambulância, ou ele não reage porque fica nervoso, os nervos não deixam e não tem jeito do bicho levantar e ficar duro. Se meus nervos me fizerem isso eu mato todos eles. E então eu disse a ela: "Não vamos para a escola". "E vamos para onde?"

Morango e Chocolate

"Para um lugar." Eu não tinha explicado nada desde que combinamos e depois de andar um pouco viramos uma esquina e eu disse a ela: "É aqui". Entramos num prédio, rápido, falei com um homem, rápido, subimos as escadas, rápido, passamos por umas portas, rápido, a chave não queria abrir, não queria abrir, até que abriu, e entramos... Fiquei contra a parede, ouvindo meu coração. Pensei: querido Paul McCartney, tu que perdeste a virgindade aos quinze anos lá em Liverpool, me ajude. A luz estava acesa e Vivian avançou dois ou três passos, mudou a bolsa de mão, daquele jeitinho que só ela tem de mudar a bolsa de mão, e parou. O quarto era alto e feio, horrível, melhor nem contar. Havia um armário pequeno, sem portas e com cabides de arame bem escangalhados. Em cima de uma mesa desbotada havia uma bacia com água, uma jarra de alumínio, dois copinhos soviéticos, papel higiênico e um pedaço de sabonete colorido que parecia ter sido cortado a machadadas. A luz amarelenta projetava nossas figuras contra as paredes, onde havia desenhos e palavras grosseiras. Ela foi até a janela, que estava aberta, e li, sobre sua cabeça, esse letreiro vermelho que diz *Revolução é construção*, e que está em cima de algum edifício de Havana. Li umas cinco vezes e não me atrevia a falar. Na janela também estava a lua e uns fiapos de nuvem que passavam pela frente dela. Não consegui deixar de reparar, era lindo e me acalmei um pouco. Eu sei que a gente não deve olhar a lua, que isso é ser romântico e meio adocicado, essa parte da história eu

47

não conto, mas estava tudo bonito, juro, e Vivian se virou lentamente. Fiquei tão impressionado, como nunca. Fecho os olhos e vejo Vivian naquele momento. Como estava linda, tão linda! Estou tão apaixonado por ela que me dá até vergonha, senão eu contava para você. Ela me perguntou com uma voz terrível: "Isso aqui é um motel, não é?". Eu ia dizer que não, ia dizer que era um hotel chinfrim, de segunda, quase de terceira, mas havia jurado não mentir para ela jamais e falei a verdade. "É." Um "é" pequenino. Virou as costas para mim: "Bem que minha mãe disse: não se pode confiar em mim, eu não presto; ela toda tranquila achando que estou na escola e eu aqui, num motel, com meu namorado". Fui chegando perto, não sabia o que dizer ou fazer, imagina só, ela tinha razão, para nós não é a mesma coisa, se eu disser para minha mãe que estou num motel com uma mulher ela vai ficar contentíssima e vai contar para as vizinhas, e comecei a me sentir mal, a me arrepender de ter levado a Vivian até lá, a compreender sua situação. Ainda bem que nesse instante me lembrei do que o Arnaldo diz, que não se pode sentir pena das mulheres porque elas mesmas nem gostam disso. Ela se virou, com os olhos muito abertos: "Você não tinha outro lugar para me levar?". Não, não tinha, e o que era que eu sabia daqueles lugares? Para mim também era a primeira vez. Doeu em mim que ela falasse daquele jeito, que não me compreendesse, e me senti pior ainda. "Se você quiser", eu disse, "se você não gosta deste lugar, vamos embora, e eu não fico

Morango e Chocolate

bravo nem nada." E abracei-a, para ajudá-la a não ficar sozinha, a não se sentir culpada sozinha, o culpado afinal era eu, e para dizer a ela que sim, que estava ali, num motel, mas com um homem que, bem, gostava tanto dela, o homem da sua vida, e então o lugar não tinha tanta importância. Ela também me abraçou e me queria e fiquei na frente da janela aberta e li de novo o letreiro *Revolução é construção*, mais vermelho ainda que antes. "Não vamos ficar nervosos", ela disse, "só que dá dó a gente fazer isso num quarto tão feio." De verdade, juro mesmo, esses lugares deviam ser mais bonitos, para que a gente não sinta que está fazendo alguma coisa errada. Depois apagou a luz, as mulheres gostam de luz apagada, e foi tirando a roupa. Tirou a roupa de um jeito lindo, você nem imagina, e sentou na beira da cama. Fez isso com muita elegância. A claridade que entrava pela janela, a lua e tudo mais, a iluminava. Tirei o blusão. Ouvi como o blusão caiu no chão e me senti satisfeito por ter vestido a calça preta, e não a outra, porque a braguilha da preta é de zíper, e gostei tanto do ruído do zíper, me senti tão homem ao abrir o zíper na frente de uma mulher e saber que ela também tinha ouvido, e a calça descia pelas minhas coxas, saía das minhas pernas, caía no chão e nós dois estávamos nus, sem nos olharmos porém nus, um pouco amarelados pela luz lá de fora, um pouco avermelhados, e sem saber direito o que fazer. Tínhamos medo de que naquele instante a porta se abrisse e aparecessem o diretor da escola, a mãe dela, o ministro da

Educação, a secretária-geral da Juventude Comunista, escandalizados, e que sua mãe gritasse: "Ai, meu Deus, Virgem dos Céus, Grande Poder de Deus, o que você está fazendo minha filha, se o seu pai sabe disso mata você!" Juro. Esperamos, esperamos e não apareceu ninguém. Então me aproximei, nos abraçamos como se fosse a primeira vez, e fomos nos deixando cair nos lençóis acinzentados. Começamos a desfazer a falta de jeito, a adivinhar, a nos deixarmos levar por uma brisa que soprava, pela maresia forte. O instinto nos guiava e eu achei que não estávamos suficientemente abraçados até que apareceram as flores. Havia flores úmidas no quarto inteiro. Acolchoavam o chão e a cama, pendiam do teto, apareciam no umbral da janela. E apareceu a música e chegaram até nós os pequenos barulhinhos do amor: nossos corpos, a pele dela e a minha, nossos lábios e mãos e olhos e cabelos. Nós estávamos nos bebendo, e tanto que víamos as mesmas coisas: duas crianças que corriam num amanhecer, colina acima, por um campo de girassóis. Iam assustando borboletas, e ela tinha uma sombrinha, ele tinha uma espada e um tambor, os dois estavam vestidos de branco e de mãos dadas, e quando começou a chuva se lançaram sobre os girassóis, mas não afundaram, começaram a girar, arrastados por uma correnteza, abraçados, perseguidos pelas borboletas, abraçados, até ficarem encalhados nas raízes de uma árvore, e ela viu que ele se erguia, levantava a espada, que brilhou lá no alto, e sentiu que a matava e a correnteza os

Morango e Chocolate

levou de novo, desta vez num redemoinho, e enquanto desciam entre folhas e lodo iam vendo e pronunciando todas as palavras possíveis: jambo, folharada, areia, saguão, obelisco, coelho, palmeira imperial, inhame, amêndoa, pomba... e quando a última palavra se desprendeu de seus corpos e se perdeu, eles estavam estendidos debaixo da mesma árvore, abandonados pela ressaca, e dos ramos pendiam teias de luz, e nós dois, Vivian e eu, muito longe ou muito perto, vimos ou sentimos que as crianças se levantavam e iam embora de mãos dadas, ela esquecia a sombrinha e ele esquecia o tambor, e ela disse alguma coisa para a Vivian e ele para mim, alto, porque já estavam longe, dizendo adeus com a mão, cada vez mais longe, mais longe, até que se perderam... E então nós, Vivian e eu, ressuscitamos no quarto feio do motel. Eu me movi sobre ela, que sorriu, já sem forças para manter as mãos em meus cabelos. E me ergui um pouco para poder olhá-la nos olhos e tentar entender o que sentia. E me ergui um pouco mais e vi seus cabelos esparramados no travesseiro, seu sorriso, seus seios e seus olhos abertos, de onde gotejava um brilho, e mesmo me lembrando do Arnaldo, não consegui, e disse de um jorro só. *Eu te amo*, disse a ela, e me abracei a ela de novo e senti que uma revoada enorme de pássaros levantava voo em meu peito, em disparada.

Morango
e Chocolate

Ismael e eu saímos do bar e nos despedimos.

— Sinto muito, David, mas já são duas da tarde — e fiquei com aquela necessidade de conversar, de não me sentir sozinho. Eu ia entrar no cinema, mas desisti, quase na bilheteria, e achei melhor telefonar para Vivian, mas desisti, quase no telefone, e disse para mim mesmo: "Olha aqui, David, melhor, mas melhor mesmo, é ir esperar o ônibus no Coppelia, a Catedral do Sorvete". E então... ah, Diego.

Era desse jeito, Catedral do Sorvete, que um amigo meu chamava aquele lugar, um amigo veado. Digo veado com afeto, e porque ele não gostaria que eu dissesse de outra maneira. Tinha lá sua teoria: "Homossexual é aquele de quem você gosta até certo ponto, e consegue se controlar", dizia ele. "E também aqueles cuja posição social (quero dizer, política) os mantêm tão inibidos, que chega a transformá-los em uva-passa." É como se eu o estivesse ouvindo, de pé na porta da varanda, com a xícara de chá na mão. "Mas os que são como eu, que diante da simples insinuação de um falo perdem toda compostura, ou melhor, ficam lelezinhos, bem, esses aí, e eu, somos veados, David, ve-a-dos, e ponto final."

Nos conhecemos justamente aqui, no Coppelia, num desses dias em que a gente não sabe se quando o lanche acabar vamos andar rua acima ou rua abaixo. Ele chegou à minha mesa, e murmurando "Com licença" instalou-se na cadeira em frente com suas bolsas, sacolas, guarda-chuva, rolos de papel e uma taça de sorvete. Dei uma olhada: não era preciso ser muito sagaz para perceber qual era a dele; e, num dia em que havia de chocolate, tinha pedido de morango. Estávamos em um dos lugares mais centrais da sorveteria, também situada muito próxima da universidade, e por isso a qualquer momento poderíamos ser vistos por alguns de meus colegas. Mais tarde iriam me perguntar quem era a delicada dama que estava comigo no Coppelia, e por que não a levava até o alojamento e a apresentava a todo mundo. Só para sacanear, claro, sem nenhuma intenção particularmente má. E como tenho a mania de me defender mais do que nunca e ficar mais nervoso justamente quando sou inocente, a brincadeira viraria suspeita, e se a gente somar que David é um pouco misterioso e que toma

Morango e Chocolate

muito cuidado com seu linguajar — você alguma vez o ouviu falar: "Caralho, estou cagando pra isso"?, e David não tem namorada desde que Vivian o abandonou... ela o abandonou?, e por que será? —, qualquer outro cálculo razoável aconselhava a abandonar o sorvete e sair voando, tanto faz rua acima ou rua abaixo. Mas, naquela época, eu já não fazia cálculos razoáveis como antes, no tempo em que, de tanto calcular, por pouco não faço a minha vida virar merda... Senti como se uma vaca lambesse meu rosto. Era o olhar libidinoso do recém-chegado, eu sabia, essa gente é assim mesmo, e senti que a boca do estômago se trancava. Nas cidades pequenas os efeminados não têm defesa, são o faz-me-rir de todo mundo, e evitam se exibir em público; mas em Havana, eu ouvira dizer, eles são outra coisa, têm seus truques. Se quando tornasse a me olhar eu largasse um sopapo que o jogasse no chão, vomitando morango, dali mesmo ele gritaria para mim, bem alto para que todo mundo ouvisse: "Ai, amor, por quê? Juro que não estava olhando para ninguém, meu bem". Então, por mim, que lambesse quanto quisesse, eu não aceitaria a provocação. E quando compreendeu que a lenga-lenga não daria em nada, colocou outro pacote em cima da mesa. Sorri com meus botões, porque percebi que era uma isca, e eu não estava disposto a mordê-la. Dei uma olhada só, de viés, e vi que eram livros, edições estrangeiras, e o de cima de todos, por isso mesmo, por ser justamente o de cima, ficou bem ao alcance dos meus olhos: *Seix Barral, Biblioteca Bre-*

ve, Mario Vargas Llosa, La guerra del fin del mundo. Santa Mãe!, esse livro, logo esse! Vargas Llosa era um reacionário, falava merda de Cuba e do socialismo onde quer que fosse, mas eu estava louco para ler seu último romance, e olha ali, bem na minha frente: os veados conseguem tudo antes!

— Com licença, mas vou guardar isto — falou.

E fez os livros desaparecerem numa bolsa de alça longuíssima que estava pendurada em seu pescoço. "Filho da puta", pensei, "esse cara tem mais bolsas que um canguru."

— Tenho mais bolsas que um canguru — disse ele com um sorrisinho. — É material explosivo demais para mostrar em público. Nossos policiais são cultos. Mas, se você estiver interessado, para você eu mostro tudo... em outro lugar.

Mudei a carteirinha vermelha de militante da União de Jovens Comunistas de um bolso para o outro da camisa: era bom ele entender logo que meus interesses de leitor não criavam nenhuma intimidade entre nós. Ou preferia que eu chamasse um dos nossos policiais cultos? Não entendeu nada do recado. Olhou para mim com outro sorrisinho e dedicou-se a recolher com a pontinha da colher uma pontinha de sorvete que levou à pontinha da língua:

— Gostoso, não é mesmo? É a única coisa que fazem direito neste país. Só que agora os russos querem a receita, e a gente vai ter de dar.

Por que eu tinha de aguentar isso de um veado? Enchi a boca de sorvete e comecei a mastigá-lo. Ele deixou que se passassem alguns segundos.

Morango e Chocolate

— Conheço você. Vi você passar por aí, com um jornalzinho debaixo do braço. Menino, como você gosta da rua Galiano!

Da minha parte, silêncio.

— Um amigo meu, que disfarça direitinho e que também te conhece, te viu num encontro provincial de sei-lá-o-quê e me disse que você era de Las Villas, como Carlos Loveira.

Soltou um gritinho: havia descoberto um morango quase intacto no sorvete.

— Hoje é meu dia de sorte, estou encontrando maravilhas.

Da minha parte, silêncio.

— O pessoal fala de quem é da província do Oriente e de quem é daqui de Havana, mas vocês, lá de Las Villas, sim, adoram ser de Las Villas. Que bobagem.

Ele se esforçava para botar o morango na colher, mas o morango não queria ir para a colher. Eu tinha acabado o sorvete e agora não sabia como ir embora, porque esse é outro de meus problemas: não sei começar nem acabar uma conversa, ouço tudo que quiserem me dizer, mesmo quando não dou a menor importância.

— Interessado em Vargas Llosa, companheiro militante da juventude? — disse ele, empurrando o morango com o dedo. — Você leria Vargas Llosa? Jamais vão publicar suas obras aqui. Essa aí que você viu, seu último romance, quem acaba de me mandar foi Goytisolo, da Espanha.

E ficou olhando para mim. Comecei a contar: quando chegasse a cinquenta, ficaria em pé e me mandaria dali. Ele me deixou chegar a trinta e nove. Levou a colherinha até a boca, e saboreando mais a frase que o morango, disse:

— Se você for comigo até minha casa e me deixar abrir o cofrinho, botão por botão, empresto o livro, "Tortovaldo".

Se soubesse o efeito que suas palavras produziriam em mim, Diego teria evitado aquele lance. Tocou a minha tecla que não se podia tocar. O sangue me subiu à cabeça, as veias do pescoço incharam, fiquei tonto e meus olhos se nublaram. Quatro anos antes minha professora de literatura, no pré-universitário, que não apenas era uma frustrada professora de literatura, mas também uma frustradora diretora de teatro, teve a oportunidade da vida quando a escola não conseguiu o primeiro lugar no concurso interbolsistas por falta de trabalho cultural. Foi ver o diretor e convenceu-o, primeiro, de que Rita e eu tínhamos talento histriônico de sobra; depois, que ela poderia dirigir-nos com mão segura em *Casa de bonecas*, uma obra que, embora estrangeira — mas como já havia dito Martí, companheiro diretor, "Vamos inserir o mundo em nossa república" —, estava livre das peçonhas ideológicas e figurava no programa de estudos revisado pelo Ministério no verão anterior. O diretor aceitou entusiasmado (era a oportunidade da sua vida), e de Rita, melhor nem falar: seu medo cênico a impedia até mesmo de responder à chamada em classe, mas estava secreta e perdidamente apaixonada por mim. Eu, por minha vez, disse um rotundo não. Tinha um conceito demasiado elevado da hombridade para meter-me a ator; e mais ainda

Morango e Chocolate

do que eu, meus companheiros. Para me convencer, o diretor pegou o caminho mais curto: veio a mim e apresentou o assunto como se fosse uma tarefa: "Uma tarefa, Álvarez David, que é colocada ao senhor pela Revolução, graças à qual o senhor, filho de camponeses paupérrimos, conseguiu estudar; o cenário principal da luta contra o imperialismo não está, nesses momentos, numa obra de teatro, vou logo dizendo; está nesses países da América Latina onde os jovens da sua idade enfrentam todos os dias a repressão, enquanto o que estamos pedindo ao senhor é uma coisa tão simples como interpretar um personagem de *Ibisen*". Aceitei. E não é que eu não tivesse outro jeito. É que me convenceu. Tinha razão. Numa semana aprendi o meu papel e também o de Rita, pois ela levava tão a sério seu secreto amor, que dava um branco cada vez que se aproximava de mim. Era uma dessas moças pálidas, indefesas, feias e geralmente órfãs que com tanta frequência se apaixonam por mim e das quais eu, de pena e porque não gosto que ninguém se traumatize, acabo virando namorado. Na noite da apresentação única — a mesma na qual Diego me descobriu e registrou para toda a vida —, ao seu medo de palco somou-se o nervosismo por causa do público, o nervosismo por causa do júri e o nervosismo maior e definitivo por ser aquela a última vez em que estaria em meus braços, ou melhor, nos braços daquele tipo de século XIX que eu representava nos trajes concebidos pela professora de literatura. E já no final não aguentou mais e ficou muda no meio do palco, olhando para mim com olhos de carneiro degolado. A professora começou a ficar com falta de ar, o diretor trincou um dente e o público fechou os olhos. Fui eu, o ator de encomenda, quem não perdeu o equilíbrio naquele difícil momento da Pátria e do Teatro.

— Estás preocupada e guardas silêncio, Nora — disse, aproximando-me lentamente com a esperança de dar a ela o fio da meada, ou de desfechar-lhe um coice na nuca. — Já sei, precisamos conversar. Devo me sentar? Tenho a impressão de que esta conversa vai demorar.

Mas, qual o quê, Rita estava mal mesmo, coisa séria, e a obra precisou prosseguir transformada num monólogo autocrítico de Torvaldo até que a professora de literatura reagiu, mandou que baixassem dois telões e, ao compasso de *O lago dos cisnes*, a única música ali disponível, começou a projetar diapositivos de trabalhadoras e milicianas, reuniões do Primeiro Congresso de Educação e Cultura e poemas de Juana de Ibarbourou, Mirta Aguirre e dela mesma, e com tudo isso, afirmou depois, a peça adquiriu um alcance e uma atualidade que o texto de Ibsen, em si, não possuía.

— Foi a maior vergonha que passei na vida — compensaria Diego depois. — Não tinha como me esconder na poltrona, a metade do público rezava por você e alguém falou em provocar um curto-circuito. Além disso, com aquele paletó vermelho com uns quadrados verdes e os calções fofos e negros, você parecia disfarçado de bandeira

Morango e Chocolate

africana. Nos comoveu seu sangue-frio, a inocência com que fazia o ridículo. Por isso, fomos tão pródigos nos aplausos.

E isso foi o pior de tudo, a piedade com que me aplaudiram! Enquanto escutava os aplausos, iluminado pelos refletores, rogava com toda a minha alma que ocorresse uma amnésia total sobre todos e sobre cada um dos presentes, e que nunca, jamais, *never*, está ouvindo, meu Deus?, eu encontrasse um deles, alguém que pudesse me identificar. Ao mesmo tempo, me comprometi a pensar duas vezes quando tornassem a me designar para alguma tarefa, a não me masturbar e a estudar uma carreira técnico-científica, que era do que o país estava precisando naquele tempo. E cumpri, exceto na questão da carreira técnico-científica, porque no caso da masturbação Deus teve que entender que foi algo devido ao desespero e à inexperiência. Mas Ele, por sua vez, estava falhando: esquecia a própria palavra e punha à minha frente, em pleno Coppelia e num dia em que eu nem mesmo estava lúcido, um sujeitinho que, por ter-me visto naquele transe, achava que podia me chantagear.

"Não, não; é brincadeira", assustou-se Diego ao me ver à beira da apoplexia. "Desculpe, eu estava brincando, claro, para relaxar o ambiente. Toma aqui, beba um pouco d'água. Quer ir até a emergência do Hospital Calixto?" "Não!", falei, ficando em pé e tomando uma decisão radical. "Vamos até a sua casa, vemos os livros, conversamos sobre o que for, e ponto-final."

Dei para ficar nervoso e fazer essas coisas. Ele olhou para mim, boquiaberto.

— Apanhe as coisas! — falei.

Mas uma coisa era apanhar seus pacotes e outra reunir tudo aquilo antes de poder apanhá-los, e por isso teve tempo de se recompor.

— Antes, vou esclarecer algumas coisas, para que você depois não diga que não fui bem claro. Você é dessas pessoas cuja ingenuidade acaba sendo perigosa. Eu, primeiro: sou veado. Segundo: sou religioso. Terceiro: tive problemas com o sistema; eles pensam que neste país não há lugar para mim, e eu não aceito isso; nasci aqui; sou, acima de tudo, patriota e lezamista, seguidor absolutamente fiel do Mestre Lezama Lima, e daqui não saio nem que me toquem fogo no rabo. Quarto: fui preso, quando ocorreu aquela história de repressão aos homossexuais. E quinto: os vizinhos me vigiam, observam quem me visita. Você ainda quer ir?

— Quero — disse o filho de camponeses paupérrimos, com uma voz rouca que eu mal reconheci.

O apartamento — que daqui em diante chamarei de "O Refúgio", pois eu não escapava desse costume que os moradores de Havana têm de batizar suas casas quando são minúsculas e moram sozinhos (você deve conhecer A Gaveta, O Closet, O Asteroide, A Alternativa, Onde-se-dá e não-se-pede) — consistia num quarto com banheiro, parte do qual havia sido transformado em cozinha. O teto, a um

Morango e Chocolate

quilômetro do chão, era enfeitado nos cantos e no centro com umas placas de gesso que em Havana são chamadas de *platons*, e tal qual as paredes e os móveis, estava pintado de branco, enquanto os detalhes da decoração e da carpintaria, os objetos da cozinha, a roupa de cama e todo o resto eram vermelhos. Ou branco, ou vermelho, exceto Diego, que se vestia em tons que iam do negro ao cinza-claro, com meias brancas e óculos e lenço cor-de-rosa. Naquele dia, o espaço estava quase todo ocupado por santos de madeira, com umas caras que deprimiriam qualquer um.

— Estas esculturas são uma maravilha — explicou assim que entramos, para deixar bem claro que se tratava de arte e não de religião. — Germán, o autor, é um gênio. Vai armar um vendaval nas nossas artes plásticas, não queira nem saber. O adido cultural de uma Embaixada já se interessou, e ontem fomos chamados pelo correspondente da agência EFE.

Eu conhecia pouco de arte, porém, tempos depois, quando o funcionário do Ministério de Cultura opinou que não, que não transmitiam nenhuma mensagem de alento, achei que tinha razão, e disse isso a Diego.

— Quem tem de transmitir é a Rádio Relógio — grunhiu. — Isto aqui é arte. E não é por mim, David, compreenda. É por Germán. Assim que a notícia chegar a Santiago de Cuba, vai ser o maior forrobodó. Pode ser até que o mandem embora do emprego.

Mas isso foi depois, essa história dos problemas com a exposição de Germán. Agora estou no centro do refúgio, rodeado de santos com dor de estômago, e convencido de ter-me enganado de lugar. Assim que pudesse botar as mãos no livro, me mandava dali.

— Sente-se — convidou. — Vou preparar um chá para diminuir a tensão.

Foi fechar a porta.

— Não! — cortei.

— Como você quiser. Desse jeito, vamos facilitar a tarefa dos vizinhos. Sente-se nesta poltrona. É especial, não a ofereço a qualquer um.

Entrou no banheiro, e, por cima do jorro da urina, ouvi sua voz:

— Uso essa poltrona exclusivamente para ler John Donne e Kavafis, embora ler Kavafis seja uma preguiça minha. Ele deve ser lido em cadeira vienense, ou trepado num muro, de pernas abertas, num muro áspero.

Reapareceu esclarecendo que John Donne era um poeta inglês totalmente desconhecido entre nós, e que ele, o único que possuía uma tradução de sua obra, não se cansava de fazê-la circular entre os jovens.

— Chegará o momento em que se falará dele até no bar Los Dos Hermanos, garanto. Mas, por favor, sente-se, menino.

A poltrona de John Donne afundou até me deixar com a bunda abaixo dos pés, mas com um simples movimento encontrei a posição perfeita.

— Ponho música? Tenho de tudo. Originais de Maria Malibrán, Teresa Stratas, Renata Tebaldi e La Callas, é lógico. São as minhas favoritas. Elas, e Celina González. Qual você prefere?

— Celina González eu não conheço — respondi com toda sinceridade, e Diego se dobrou de tanto rir.

O pessoal de Havana acha que só porque a gente é do interior passa a vida numa farra só, em festinhas caipiras, essas coisas.

— Bem, muito bem. Você conquistou a honra de ser o primeiro a escutar um disco da Callas que acabo de receber de Florença, com sua interpretação de *La Traviata*, de 1995, no Scala de Milão. Florença, Itália, como é lógico.

Pôs o disco e passou para a cozinha.

— Qual é a sua graça? Eu me chamo Diego. Sempre me vêm com a piada de Diga Diego. É como Antón, que chamam de Antón Então. Como é o seu nome?

— Juan Carlos Rondón, às suas ordens.

Pôs a cabeça para fora da cozinha-banheiro.

— Que mentiroso, como todo filho de Las Villas. Seu nome é David. Eu sei tudo de todo mundo. Bem, de todo mundo que é interessante. E tem mais: você escreve.

Quando veio com o chá, com xícaras e bule e tudo, tropeçou e derramou em cima de mim um pouco de leite. Não se tranquilizou até eu concordar em tirar a camisa. Lavou-a num piscar de olhos e estendeu-a na varanda, junto a um xale de Manilha, que também trouxe do banheiro. Sentou-se na minha frente, e colocou sobre minhas pernas uma caixa de bombons.

— Finalmente podemos conversar em paz. Diga do que você quer falar, não quero impor nada.

Em vez de responder, baixei a cabeça e cravei os olhos numa lajota.

— Não está tendo nenhuma ideia? Bom, já sei, vou contar como virei veado.

Aconteceu quando ele tinha doze anos e estudava num internato de padres. Uma tarde, não lembrava bem o motivo, precisou acender uma vela, e como não encontrava fósforos foi até o dormitório dos alunos do último ano, entrando, sem perceber, pela parte dos banheiros. Ali, debaixo do chuveiro, nu, estava um dos jogadores de basquete da escola, todo ensaboado e cantando "*Nosotros, que nos queremos tanto, ¿debemos separarnos? no me preguntes más...*"

— Era um rapaz ruivo, de cabelo escovinha — esclareceu com um suspiro —, com aquela idade que não são os quatorze nem os quinze anos. Um jorro de luz entrava lá do alto, mais digno dos vitrais de Notre Dame que da claraboia do nosso convento dos Irmãos Maristas, e iluminava-o pelas costas, arrancando brilhos furta-cores de seu corpo salpicado de espuma.

O rapaz estava excitado, acrescentou, tinha agarrado o vergalhão e cantava para ele, e Diego ficou fascinado, sem poder desviar os olhos daquele semideus que o observava e deixava-se admirar. Não houve palavra: o outro pegou-o pelo braço, fez com que virasse contra a parede, e o possuiu.

Morango e Chocolate

— Voltei ao meu quarto com a vela apagada — falou —, mas iluminado por dentro, e com a impressão de haver compreendido o mundo, de supetão.

O destino, porém, lhe reservava uma amarga surpresa. Dois dias depois, ao ir acender outra vela, ficou sabendo que seu violador havia morrido por causa de um coice na cabeça. Tentando recuperar uma bola, tinha se metido no meio das patas do mulo que carregava carvão para a escola, e o mulo, insensível aos seus encantos, deu-lhe um coice fulminante.

— Desde então — concluiu Diego, olhando para mim — minha vida tem sido isso: a procura do ideal do jogador de basquete. Você até que dá novo alento a essa procura, tem um ar assim meio dele...

Era óbvio que conhecia à perfeição a técnica de despertar o interesse de recrutas e estudantes, e também a de relaxar os tensos, conforme esclareceria depois. Esta última consistia em fazer-nos ouvir ou ver o que não queríamos ouvir nem ver, e dava excelentes resultados com os comunistas, diria. Só que, comigo, não avançava. Eu havia chegado, como os outros, tinha sentado na poltrona especial, como eles, mas, como ninguém, havia cravado os olhos nas lajotas, e dali não os desgrudava. Ele havia sentido a tentação de me mostrar a revista pornô que guardava para os mais difíceis, ou oferecer-me um drinque da garrafa de Chivas Regal, na qual sempre restavam quatro dedos de um rum qualquer, mas se conteve, porque não era isso o que esperava de mim; e, no final da tarde, quando começou a sentir fome, compreendeu que não estava disposto a dividir suas reservas comigo, e que não encontrava um jeito de dar a visita por terminada. Havia desejado muito aquele encontro, confessaria mais tarde, desde que me viu pela primeira vez no teatro interpretando Tortovaldo. Tinha até mesmo sonhado com o encontro várias vezes, e várias vezes esteve a ponto de me abordar na rua Galiano, porque desde o princípio teve a intuição da nossa amizade. Mas agora eu, teso e mudo no meio do refúgio, mostrava-me tão insosso que ele começou a achar que, como em tantas outras ocasiões, tinha sido vítima de uma miragem, de sua propensão a ver sensibilidade e talento em quem exibia, como eu, uma carinha de não-fui-eu. Estava realmente surpreso e magoado por ter-se enganado comigo.

Eu era a sua última cartada, o último que faltava ser provado antes de decidir que tudo era uma merda e que Deus havia se enganado e que Karl Marx se enganara muito mais, que essa história do homem novo, no qual ele depositava tantas esperanças, não era nada mais que poesia, um deboche, propaganda socialista, porque se houvesse algum homem novo em Havana, não podia ser um desses parrudos e belíssimos Comandos Especiais, mas alguém como eu, capaz de bancar o ridículo, e ele teria de tropeçar comigo algum dia, e me levar ao refúgio, oferecer chá e conversar; conversar, caralho, conversar, pois não estava sempre só pensando naquilo, como me explicaria em outro de seus discursos.

Morango e Chocolate

— Estou indo — falei finalmente, levantando, e olhei para ele, nos olhamos.

Ele falou sem se levantar da cadeira.

— Volte, David. Acho que não consegui me explicar. Talvez tenha parecido ser um camarada supérfluo. Como todo mundo que fala muito, digo bobagens. É porque fico nervoso, mas me senti muito bem conversando com você. Conversar é importante; dialogar, muito mais. Não tenha medo de voltar, por favor. Sei respeitar e me comportar com qualquer pessoa, e posso ajudá-lo muitíssimo, emprestar livros, conseguir entradas para o balé, sou amicíssimo de Alícia Alonso e adoraria apresentá-lo algum dia na casa de Loynaz, às cinco da tarde, um privilégio que só eu posso proporcionar. E gostaria de lhe oferecer um almoço lezamiano, uma coisa que não ofereço a qualquer um. Sei que a bondade dos veados é uma faca de dois gumes, como o próprio Lezama aponta em algum lugar de sua obra, mas não neste caso. Quer saber por que gosto de conversar com você? Puro palpite, intuição. Acho que vamos nos entender bem, apesar de sermos diferentes. Sei que a Revolução tem seu lado bom, mas comigo aconteceram muitas coisas ruins; além disso, tenho minhas próprias ideias. Pode ser que eu esteja enganado, veja bem, e gostaria de discutir essas coisas, gostaria que me escutassem, que me explicassem. Estou disposto a conversar, a mudar de opinião. Mas nunca pude conversar com um revolucionário. Vocês só falam com vocês mesmos. Não se importam com o que os outros pensam. Volte. Não vou nem tocar no assunto da veadagem, juro. Tome, leve *La guerra del fin del mundo*, e olha aqui, leve também *Tres tristes tigres*, que você tampouco iria conseguir por aí.

— Não! — e saí batendo a porta.

"Agora, sim, muito bem!", disse a mim mesmo na rua, ouvindo ainda a batida da porta: nem tomar dele os livros, nem aceitá-los de presente. E meu espírito, que dentro de mim havia estado preocupado o tempo todo, relaxou-se e começou a experimentar certo orgulho pelo seu garoto, que na reta final não falhava. Era o que esperava de mim, este seu jovem comunista que nas reuniões acabava pedindo a palavra e, embora não se expressasse bem, dizia o que pensava, e Bruno já o havia convocado duas vezes. Isso, com meu Espírito, porque com minha Consciência a coisa não era tão fácil assim, e antes de chegar à esquina pedia explicações, mas devagar e direito, a David Álvarez, de por que, sendo homem, havia ido à casa de um homossexual; sendo revolucionário, havia ido à casa de um contrarrevolucionário; e, sendo ateu, havia ido à casa de um crente. Tudo isso enquanto eu caminhava, pegava o ônibus e não me incomodava com os empurrões. Por que, na minha frente, era possível ironizar a Revolução ("Sua Revolução, David") e ressaltar a morbidez e a podridão sem que eu acabasse com aquilo? Não senti a credencial no bolso, ou a credencial só servia para o bolso? Quem é você, afinal de contas, rapazinho? Já está esquecendo que não passa de

Morango e Chocolate

um caipirinha de merda que a Revolução tirou da lama e trouxe para estudar em Havana? Mas, se uma coisa eu aprendi na vida, é não responder à Consciência em momentos de crise. Em compensação, surpreendi a Consciência ao descer do ônibus na universidade, subir a escadaria voando, procurar Bruno, levá-lo a um canto e perguntar o que é que se faz, a quem se informa quando se conhece alguém que recebe livros estrangeiros, fala mal da Revolução e é religioso? E agora, Consciência? Bruno achou a questão importante, mas tão importante, que tirou os óculos e me levou para ver outro companheiro. E assim que vi esse companheiro tive certeza de que ia dar outro fora, outra vez. Ele tinha, como Diego, o olhar claro e penetrante, como se aquele dia as pessoas de olhar claro e penetrante tivessem entrado num acordo para me sacanear. Entrei num escritório, o outro companheiro indicou-me uma cadeira que não era vienense nem porra nenhuma, e me mandou contar. Eu falei que nós, revolucionários, tínhamos que estar sempre alertas, com a guarda fechada, e que por isso, por estar alerta e com a guarda fechada, havia conhecido Diego, o acompanhara até sua casa e sabia dele o que estava sabendo. Logo de saída achei seus livros suspeitos, livros estrangeiros, e outras coisinhas. Compreendia? Ou não compreendia, ou a história não provocava nele o menor impacto. Bocejou uma vez e até folheou uns papéis enquanto fingia me escutar. E esse é outro de meus problemas: fico mal quando alguém se entedia com o que estou

73

contando, e então começo a agitar as mãos e a acrescentar um monte de detalhes.

— Esse cara é contrarrevolucionário — enfatizei. — Tem contatos com o adido cultural de uma Embaixada e gosta de influenciar os jovens.

"Ou seja", esperava que o companheiro dissesse, "você foi à casa de um veado contrarrevolucionário e religioso porque é preciso estar sempre alerta, não é?" "Claro." Mas ele não disse aquilo. Olhou-me com seu olhar claro e penetrante e um calafrio percorreu minha espinha, porque senti estar adivinhando o que ia dizer: "Que desgraçado babaca de merda você é, garotinho, que pedaço de oportunista". Mas não, tampouco disse isso. Sorriu, e me falou num tom condescendente, irônico ou afetuoso, eu podia escolher:

— Pois é, a gente deve mesmo estar sempre alerta. Seu nome é David, não é? O inimigo age onde a gente menos espera, David. Descubra com que Embaixada ele tem contato, anote o que ele perguntar sobre movimentos militares e a localização de dirigentes, e nos vemos de novo. Agora você tem essa tarefa, agora você é um agente. Valeu?

Este é Ismael. Chegaremos a ser amigos, a gostar um do outro, feito irmãos, e um dia oferecerei a ele um almoço lezamiano, porque também em sua vida houve uma professora de literatura.

Desci cinematograficamente a escadaria da universidade: uma marcha militar ao fundo e eu descendo às pressas, e lá no alto, ondulante, a bandeira com a estrela solitária.

Morango e Chocolate

Quando cheguei ao alojamento tomei um banho quente e longo, muita água quente e abundante caindo no alto da cabeça, até que senti que a última angústia do dia estava indo pelo ralo, e que poderia dormir. Mas, para encerrar o dia para cima, decidi estudar um pouco, e me estendi na cama. Foi meu erro. Da minha cama vê-se o mar, que estava belo e tranquilo, de um azul intenso, e o mar exerce sobre mim um efeito terrível. Dentro de mim, além da Consciência e do Espírito, vive a Contraconsciência, que é mais filha da puta ainda. E ela começou a se mover e a querer despertar e fazer suas perguntas, e com minha Contraconsciência não dá, não tem jeito, não aguento. Uma só de suas perguntas pode me levar até o vigésimo quarto andar e me fazer cair de cabeça no vazio. Deixei o livro de lado e, diante do espelho do banheiro, me disse: "Caralho, desta vez me fodi". E prometi para aquele que estava me olhando do espelho que iria ajudá-lo, que de maneira alguma voltaria à casa daquele ou de qualquer outro Diego, juro pela minha mãe.

Não cumpri minha palavra, e Diego tampouco a dele.

— Nós, homossexuais, caímos em outra classificação ainda mais interessante do que aquela que eu expliquei a você aquele dia. Ou seja, os homossexuais propriamente ditos — repete-se o termo porque esta palavra conserva, mesmo nas piores circunstâncias, certo grau de recato —, os veados — ai!, também aqui é preciso repetir — e as *loucas*, das quais a expressão mais baixa são as denominadas *louquíssimas*. O que determina esta escala é a disposição do sujeito para o dever social ou para a veadagem. Quando a balança se inclina ao dever social, você está na presença de um homossexual. Somos aqueles — eu me incluo nesta categoria — para os quais o sexo ocupa um lugar na vida, mas não o lugar da vida. Como os heróis ou os ativistas, antepomos o Dever ao Sexo. A causa à qual nos consagramos está em primeiro lugar. No meu caso, o sacerdócio é a cultura nacional, à qual dedico o melhor do meu intelecto e do meu tempo. Sem autossuficiências, meu estudo da poesia feminina cubana do século XIX, meu senso das grades e portões das ruas Ofícios, Compostela, Sol e Muralha, ou minha exaustiva coleção de mapas da Ilha desde a chegada de Colombo, são indispensáveis para o estudo deste país. Algum dia vou lhe mostrar meu acervo de plantas de construções dos séculos XVIII e XIX, cada um acompanhado de um desenho a nanquim do exterior e das partes principais do interior, algo realmente importante para qualquer futuro trabalho de restauração. Tudo isto, além dos meus papéis, entre os quais os mais apreciados são os sete textos inéditos de Lezama, é fruto de muita dedicação, querido, como também meu estudo comparado da gíria do pessoal do Porto e do Parque Central. Quero dizer, mesmo que eu esteja nesta varanda onde ondula o xale de Manilha, esferográfica na mão, revisando meu texto sobre a poética das irmãs Juana e Dulce Maria Borrero, não abandono minha tarefa, mesmo que veja passar pela calçada o mais portentoso mulato de Marianao e esse mulato, ao me ver, sinta

Morango e Chocolate

seus ovos incharem. Os homossexuais desta categoria não perdem, como eu não perco, tempo por causa do sexo, não há provocação capaz de nos desviar de nosso trabalho. É totalmente errônea e ofensiva a crença de que somos subornáveis ou traidores pela própria natureza. Não senhor, somos tão patriotas e firmes como qualquer um. Entre uma pica e o nacionalismo, o nacionalismo. Pela nossa inteligência e pelo fruto do nosso esforço, nos corresponde um espaço que sempre nos é negado. Os marxistas e os cristãos, ouça bem, não deixarão de caminhar com uma pedra no sapato até que nos reconheçam e reconheçam nosso lugar e nos aceitem como aliados, pois, com mais frequência do que é admitido, costumamos partilhar com eles uma mesma sensibilidade diante do fato social. Os *veados* não merecem explicação à parte, como tudo aquilo que existe a meio caminho entre uma coisa e outra: você irá compreendê-los quando eu definir as *loucas*, que são muito fáceis de conceitualizar. Têm, o tempo todo, o falo incrustado no cérebro, e só agem por ele e para ele. A perda de tempo é sua característica fundamental. Se o tempo que investem em flertar em parques e banheiros públicos fosse dedicado ao trabalho socialmente útil, já estaríamos chegando ao que vocês chamam de comunismo e nós, de paraíso. As mais vagabundas de todas são chamadas de *bichas-loucas*, de *louquíssimas*. Essas, eu odeio, porque são fátuas e vazias, e porque sua falta de discrição e de tato se converteu em desafios sociais, atos tão simples e necessários como pintar as unhas dos pés. Provocam e ferem a sensibilidade popular, não tanto por seus modos amaneirados, mas por sua bobeira, porque estão sempre rindo sem motivo e falando de coisas que não sabem. A rejeição é maior ainda quando a *louca* é de raça negra, pois entre nós o negro é símbolo de virilidade. E se as coitadas moram em Guanabacoa, Buenavista ou nos povoados do interior, sua vida se transforma num inferno, porque o pessoal desses lugares é mais intolerante ainda. Esta tipologia é aplicável aos heterossexuais de um sexo ou de outro. No caso dos homens, o degrau mais baixo, o que corresponde ao das *bichas-loucas* e está assinalado pela perda de tempo e pela ânsia de fornicação perpétua, é ocupado pelos *picas--doces*, aqueles que podem ir botar uma carta no correio, por exemplo, e no trajeto se meter até mesmo com uma de nós, sem prejuízo da sua virilidade, só porque não conseguem se conter. Entre as mulheres a escala termina naturalmente nas putas, mas não nas que pululam nos hotéis caçando turistas ou naquelas que fazem isso por interesse, as quais temos poucas, como bem afirma a publicidade oficial, mas aquelas que se entregam pelo único prazer de, como corretamente se afirma por aí, ver o leite correr. Pois bem, tanto as *bichas-loucas* como os *picas-doces* como as *vira--bolsas* existem neste paraíso sob as estrelas, e ao dizer isto não faço outra coisa a não ser parafrasear o que disse um escritor inglês: as coisas desagradáveis desta vida não podem ser eliminadas simplesmente olhando-se para o outro lado.

Morango e Chocolate

E assim, com este e outros temas, fomos nos fazendo amigos, habituando-nos a passar as tardes juntos, tomando chá naquelas xícaras que, dizia ele, eram valiosíssimas, e convertemos em algo sagrado os almoços de domingo, para os quais reservávamos os assuntos mais interessantes. Eu andava descalço pelo refúgio, tirava a camisa e abria a geladeira quando bem queria, ato este que para nós, provincianos e tímidos, expressa, melhor que qualquer outro, que se chegou a um grau extremo de liberdade e relaxamento. Diego insistia em ler meus escritos, e quando finalmente me atrevi a entregar-lhe um texto, ele me fez esperar duas semanas sem fazer comentários, até que finalmente o colocou em cima da mesa.

— Vou ser franco, aperte o cinto: não serve. O que quer dizer escrever *mujic* em vez de camponês? Denota leituras excessivas das editoras Mir e Progresso. É preciso começar pelo começo, porque talento você tem.

E tomou em suas mãos as rédeas da minha educação.

"Leia isto", dizia, entregando-me o livro *Azúcar y población en las Antillas*, e eu lia. "Leia *indagación del choteo*", e eu lia. "Leia *Americanismos e Cubanismos Literários*", e eu lia. "Leia *Contrapunteo cubano del tabaco y el azúcar*", e eu lia. "Este aqui você coloca uma capa da revista *Verde Oliva*, e não o deixe ao alcance dos curiosos, entendeu? É *El monte*, entendeu? E para a lírica, aqui está *Lo cubano en la poesía*; e uma coisa que é ouro em pó: uma coleção completa da revista *Origenes*, que nem o próprio Rodríguez Feo tem.

Esta, você vai levar número a número. E cá está, mas isto sim, é para mais tarde. Tudo o que fazemos não é nada mais que uma preparação para chegar a ela, a obra do Mestre, poesia e prosa. Venha, ponha a mão nela, acaricie-a, absorva sua seiva. Um dia, numa tarde de novembro, quando a luz de Havana é mais bela, passaremos na frente da casa dele, na rua Trocadero. Estaremos vindo lá do Prado, caminhando pela calçada oposta, conversando como se estivéssemos distraídos. Você estará vestindo alguma roupa azul, cor que fica muito bem em você, e imaginaremos que o Mestre ainda está vivo, e que nesse momento nos observa pelas persianas. Ouça sua respiração entrecortada, sinta o cheiro de seu charuto. Ele dirá: 'Olha só essa louca e seu garoto, como ela se esforça para transformá-lo em seu pupilo, em vez de deslizar uma nota de dez pesos para seu bolso'. Não se ofenda, é o jeito dele. Sei que apreciará meu esforço e admitirá sua sensibilidade e inteligência, e embora tenha sofrido incompreensões, ficará alegre, principalmente por causa da condição de revolucionário que você ostenta. Nesse dia, será mais grata para ele a tarefa de ler partes de sua obra durante meia hora para os burocratas do Conselho de Cultura, que foram destinados ao reino da Proserpina, um auditório, aliás, bastante amplo." Em mapas abertos no chão localizávamos os edifícios e praças mais interessantes de Havana Velha, os vitrais que não dava para deixar de ver, as grades de desenho mais sutil, as colunas citadas por Carpentier e pedaços da muralha de trezentos anos de antiguidade. Ele confeccionava para mim um itinerário precioso que eu seguia ao pé da letra, e regressava, emocionado, para comentar o que tínhamos visto na intimidade do apartamento, fechado a sete chaves, enquanto tomávamos suco de graviola ou de fruta-do--conde, e escutávamos Saujmell, Caturla, Lecuona, o Trio Matamoros ou, baixinho, por causa dos vizinhos, Célia Cruz e a Sonora Matancera. Quanto ao balé, que era o seu forte, eu não perdia nenhuma função. Ele sempre conseguia uma entrada para mim, por mais difícil que fosse, e nos casos verdadeiramente críticos, me cedia a dele. No teatro não nos cumprimentávamos mesmo quando nos encontrávamos na entrada ou na saída, e fingíamos não nos ver, e nunca seu lugar ficava perto do meu. Para evitar encontros, eu permanecia na sala durante os intervalos, contando as vogais nos textos dos programas. "O que mais me maravilha na nossa amizade", dizia ele, "é que sei de você a mesma coisa que sabia no princípio. Conte alguma coisa, meu caro. Sua primeira experiência sexual, a idade em que você começou a gozar, como são seus sonhos eróticos. Não tente me enganar; com esses olhinhos que você tem, quando abrir a boca deve ser puro fogo." "E por que" — voltava ele à carga quando eu ficava tenso —, "agora que somos irmãos, você não me deixa te ver nu? Estou avisando, não posso reter na memória a figura de um homem que não tenha me mostrado o passarinho. Seja como for, eu o imagino: o seu deve ser macio feito uma pombinha; porém, e deixe que eu diga, existem rapazes assim do seu tipo, sensíveis e espirituais, que quando se despem viram um tremendo fenômeno."

Para o almoço lezamiano, me fez ir de terno e gravata. Quem me emprestou o terno foi o Bruno, que além disso me obrigou a aceitar dez pesos emprestados, pensando que eu ia levar uma garota ao Tropicana. A qualidade excepcional do almoço, como dizia o próprio Lezama em *Paradiso*, conforme eu soube depois, se ofertava em toalha rendada, nem branca nem vermelha, mas cor de creme, sobre a qual resplandecia a perfeição do esmalte branco da louça com seus contornos de um verde queimado. Diego destampou a sopeira, onde fumegava uma densa sopa de banana. "Quis fazer você rejuvenescer", disse com um sorriso misterioso, "transportando-o à primeira infância, e para isso botei na sopa um pouco de tapioca..." "E isso aqui, o que é?" "Aipim, garoto, não me interrompa. Coloquei para flutuar umas rodelinhas de milho, pois há muitas coisas das quais a gente gostava quando era criança e que, no entanto, nunca mais tornamos a desfrutar. Mas não fique intranquilo, não é a chamada sopa do oeste, pois alguns *gourmets*, assim que veem o milho, vão logo achando que as carretas dos pioneiros rumo à Califórnia estão à sua frente, na planície dos índios *sioux*. E, neste ponto, devo olhar para a mesa dos mancebos..." Interrompeu sua extravagante fala, que eu aprovava com um sorriso bobão, fazendo de conta que seguia o jogo dele. "Vamos trocar", disse ele, re-

Morango e Chocolate

colhendo os pratos assim que tomamos a estupenda sopa, "o canário cintila pelo lagostim ensopado; e faz sua entrada o segundo prato num resplandecente *souflé* de mariscos, enfeitado na superfície por uma equipe de lagostins, dispostos em coro, unidos em duplas, com suas pinças distribuindo a fumaça emergente da massa apertada como um coral branco. Faz parte também do suflê o peixe chamado imperador e lagostas que mostram o assombro cárdeno com que suas carapaças receberam a interrogação da lanterna ao queimar seus olhos saltados." Não encontrei palavras para elogiar o suflê, e essa incapacidade, minha ou da língua, acabou sendo o melhor elogio. "Depois desse prato de tão conquistada aparência de cores abertas, semelhantes a um flamígero muito próximo do barroco, e que no entanto continua sendo gótico pela forma da massa e pelas alegorias esboçadas pelo lagostim, amansemos a comida com uma salada de beterraba salpicada de maionese com aspargos de Lübeck; e preste bastante atenção, Juan Carlos Rondón, porque chegou o clímax da cerimônia." E, quando ele ia trinchar uma beterraba, uma rodela inteira soltou-se e foi cair na toalha. Não conseguiu evitar um gesto de aborrecimento, e quis retificar o erro, mas a beterraba tornou a sangrar, e ao recolhê-la pela terceira vez a massa partiu-se no lugar onde havia penetrado o trinchador, escorregando; metade ficou grudada no garfo e a outra tornou a cair na toalha, deixando marcadas três ilhotas de sangue sobre os rosetões bordados. Eu abri a boca, com

SENEL PAZ

pena por causa do incidente, mas ele olhou-me com regozijo: "Ficaram perfeitas", disse, "essas três manchas dão, na verdade, o relevo de esplendor à comida". E, quase declamando, acrescentou: "Na luz, na resistente paciência do artesanato, nos presságios, na maneira como os fios fixaram o sangue vegetal, as três manchas entreabriram uma sombria expectativa". Sorriu, feliz e divertido, e me revelou o segredo: "Você está assistindo ao almoço familiar que dona Augusta oferece nas páginas de *Paradiso*, capítulo sétimo. Depois disto, você poderá dizer que comeu como um verdadeiro cubano, e entra, para sempre, na confraria dos adoradores do Mestre, faltando, apenas, o conhecimento da sua obra". Em seguida comemos peru assado, depois um creme gelado, também lezamiano, do qual me ofereceu a receita para que eu, por minha vez, a levasse para minha mãe. "Agora, Baldovina teria de trazer a fruteira, mas à falta dela, irei eu mesmo. Você me perdoará pelas maçãs e peras, que substituí por mangas e goiabas, que afinal de contas não ficam assim tão mal ao lado de tangerinas e uvas. Depois nos resta o café, que tomaremos na varandinha enquanto recito poemas de Zenea, o vilipendiado, e passaremos o pessoal desta cidade por alto, já que eles não interessam a nenhum de nós dois. Mas antes", acrescentou com súbita inspiração, quando sua vista tropeçou com o xale de Manilha, "um pouco de dança flamenca", e deleitou-me com um vertiginoso sapateado que, de repente, cortou em seco. "Odeio você", disse ele, jogando o xale para longe.

84

"Não sei se um dia você poderá me perdoar, David." Eu pensava a mesma coisa, e de repente comecei a me sentir mal, porque enquanto desfrutava do almoço não pude evitar que alguns dos meus neurônios permanecessem alheios ao convite, sem provar nada e com a guarda fechada, racionalizando que as lagostas, os camarões, os aspargos de Lübeck e as uvas só podiam ter sido conseguidos nas lojas especiais para diplomatas e, portanto, constituíam provas de suas relações com os estrangeiros, o que eu, na minha condição de gente, devia informar ao companheiro, que ainda não era Ismael.

O tempo passou, feliz, e um sábado, quando cheguei para o chá, Diego apenas entreabriu a porta.

— Não dá para você entrar. Estou aqui com alguém que não quer ser visto por ninguém, e estou na maior das maravilhas. Volte mais tarde, por favor.

Fui embora, mas só até a calçada em frente, para ver a cara de quem não queria ser visto por ninguém. Diego desceu em seguida, sozinho. Ele estava nervoso, olhando para um lado e para o outro, e dobrando a esquina depressa. Acelerei o passo e consegui vê-lo subindo num carro diplomático semioculto num beco. Tive que me esconder atrás de uma coluna, porque saíram a toda. Diego num carro diplomático! Uma dor muito forte se instalou em meu peito. Meu Deus, era tudo verdade! Bruno tinha razão, Ismael estava enganado quando dizia que essa gente tinha de ser analisada caso a caso. Não! É preciso estar sempre alerta: os veados são traidores pela própria natureza, por pecado original. Quanto a mim, nada de fraquezas. Podia esquecer aquilo tudo e ser feliz: meu caso havia sido puro instinto de classe. Mas não conseguia me alegrar. Sentia dor. A dor de ser traído por um amigo, que dor!, juro pela minha mãe, e que raiva descobrir que havia sido estúpido uma vez mais, que uma vez mais havia sido manipulado por outro. E como é ruim sentir que não se tem mais remédio além de reconhecer que os ortodoxos às vezes têm razão, e que você não passa de um bosta sentimental, disposto a se encaminhar por qualquer um. Cheguei à avenida beira-mar, ao Malecón, e, como costuma acontecer, a natureza entrou em harmonia com meu estado de espírito: o céu encapotou num dois por três, escutaram-se trovões cada vez mais próximos, e no ar começou a flutuar um cheiro de chuva. Meus passos me levavam diretamente à universidade, em busca de Ismael, mas tive a lucidez — ou sei lá o quê, porque lucidez, em mim, é um luxo difícil de se admitir — de compreender que não resistiria a um terceiro encontro com ele, com seu olhar claro e penetrante, e me detive. O segundo havia sido após o almoço lezamiano, quando precisei pôr a cabeça em ordem para que não explodisse. "Acho que me enganei", disse então, "esse rapaz é uma boa pessoa, um pobre coitado, e não vale a pena continuar vigiando-o." "Mas você não dizia que era um contrarrevolucionário?", comentou com ironia. "Até nesse ponto devemos admitir que sua relação com a Revolução não foi igual à nossa. É difícil estar com quem pede

Morango e Chocolate

que a gente deixe de ser o que somos, para só então nos aceitar. Em resumo..." E não resumi nada, não tinha confiança e liberdade com Ismael para acrescentar o que eu gostaria: "Ele age do jeito que é, do jeito que pensa. Ele se move com uma liberdade interior que eu bem que gostaria de ter, eu, que sou militante". Ismael olhava para mim e sorria. O que diferenciava o olhar claro e penetrante de Diego do de Ismael (para liquidar você, Ismael, porque este conto não é seu), é que o de Diego se limitava a apontar as coisas, a indicar, e o de Ismael exigia que, se você não gostasse dessas coisas, começasse a agir imediatamente para mudá-las. Por isso, ele era o melhor dos três. Falou comigo de coisas sem importância e, quando nos despedimos, colocou a mão em meu ombro e me pediu que não deixasse de continuar com aqueles encontros. Compreendi que estava me liberando do meu compromisso de agente, e que começava nossa amizade. O que ele pensaria agora, quando eu lhe dissesse o que acabara de descobrir? Regressei ao edifício de Diego disposto a esperar o tempo que fosse necessário. Ele voltou de táxi, no meio de um aguaceiro. Subi atrás e entrei antes que ele pudesse fechar a porta.

— O namorado já foi embora — brincou. E esse cara? Não vai dizer que ficou com ciuminho...

— Eu vi você entrando num carro diplomático.

Por essa ele não esperava. Olhou para mim sem nenhuma cor, deixou-se cair numa cadeira e baixou a cabeça. Levantou-a depois de alguns instantes, dez anos mais velho.

— Vamos, estou esperando.

Agora viriam as confissões, o arrependimento, as súplicas de perdão, confessaria o nome do grupelho contrarrevolucionário do qual fazia parte, e eu iria diretamente à polícia, iria à polícia.

— Eu ia contar, David, mas não quis que você ficasse sabendo assim tão depressa. É que estou indo embora.

Estou indo embora, no tom usado por Diego, tem entre nós uma conotação terrível. Quer dizer que você está abandonando o país para sempre, que o apaga da sua memória e se apaga da memória dele, e que, queira ou não, assume a condição de traidor. Desde o princípio você sabe disso e aceita, porque faz parte do preço da passagem. No momento em que você tiver a passagem na mão, não conseguirá mais convencer ninguém de que ela não foi comprada com regozijo. E este não podia ser o seu caso, Diego. O que você iria fazer longe de Havana, da cálida sujeira de suas ruas, do movimento buliçoso das pessoas desta cidade? O que você poderia fazer em outra cidade, querido Diego, onde Lezama não tivesse nascido e Alícia não dançasse pela última vez a cada fim de semana? Uma cidade sem burocratas nem ortodoxos para serem criticados, sem um David que fosse se afeiçoando a você?

"Não é por causa do que você pensa", disse ele.

"Você sabe que para mim a política dá na mesma, tanto faz oito ou oitenta. É por causa da exposição de Germán. Você é muito pouco observador, não sabe a

Morango e Chocolate

dimensão que isso tudo tomou. E não o despediram do trabalho: o despedido fui eu. Germán se entendeu com eles, alugou um quarto e vem trabalhar em Havana, como artesão. Reconheço que exagerei na defesa das obras, que fui indiscreto e agi por conta própria, aproveitando-me do meu posto, mas, e daí? Agora, com essa anotação no meu prontuário, não vou encontrar outro trabalho a não ser na agricultura ou na construção. E diga-me a verdade, o que vou fazer com um tijolo na mão? Onde o enfio? É uma simples advertência de trabalho, mas quem vai me contratar com esta cara, quem vai se arriscar por mim? É injusto, eu sei, a lei está do meu lado, e no final teriam que me dar razão e me indenizar. Mas, o que vou fazer? Lutar? Não. Sou fraco, e o mundo de vocês não foi feito para os fracos. Ao contrário, vocês atuam como se nós não existíssemos, como se fôssemos assim só para aborrecê-los e surpreendê-los, e entrarmos num acordo com os traidores. Para vocês, a vida é fácil: não sofrem de complexo de Édipo, não são atormentados pela beleza, não tiveram um gato querido que seu próprio pai esquartejou diante dos seus olhos para que vocês virassem homens. Também dá para ser veado e forte. Há exemplos de sobra, tenho certeza disso. Mas não é o meu caso. Eu sou fraco, morro de medo da idade, não posso esperar dez ou quinze anos para que vocês repensem tudo, por mais que eu tenha confiança que a Revolução vai acabar corrigindo suas besteiras. Tenho trinta anos. No máximo, tenho outros vinte de vida útil. Quero fazer coisas, viver, ter planos, parar na frente do espelho de *Las meninas*, dar uma conferência sobre a poesia de Flor e de Dulce María Loynaz. Não tenho direito? Se eu fosse um bom católico e acreditasse na outra vida, não me importaria, mas o materialismo de vocês contagia, são muitos e muitos anos. A vida é esta, não tem outra. Ou melhor, o mais provável é que seja só esta. Você me entende? Aqui ninguém me quer... para que continuar dando voltas no carrossel? E, além disso, gosto de ser do jeito que sou, soltar algumas plumas de vez em quando. Rapaz, quem é que pode se ofender com isto, com as minhas plumas?"

Seus últimos dias aqui não foram sempre tristes. Às vezes eu o encontrava eufórico, borboleteando entre pacotes e papéis velhos. Tomávamos rum e escutávamos música.

— Antes que venham fazer o inventário, leve a máquina de escrever, o fogareiro elétrico e este abridor de latas. Vai ser muito para sua mãe. Estes são meus estudos sobre arquitetura e urbanismo: são muitos, não é mesmo? E bons. Se eu não tiver tempo, quero que você mande tudo isso — anonimamente — para o Museu da Cidade. Aqui estão os depoimentos sobre a visita de Federico García Lorca a Cuba. Inclui um itinerário muito detalhado e fotografias de lugares e pessoas, com legendas escritas por mim. Há um negro sem identificação. Guarde para você a antologia com poemas sobre o rio Almendares, complete esse trabalho com algum outro poema que aparecer. Veja esta foto:

Morango e Chocolate

sou eu, na Campanha de Alfabetização. E estas são da minha família. Vou levar todas. Este meu tio era belíssimo, morreu sufocado com uma batata recheada. Aqui estou eu com mamãe, veja só como ela era bonita. Vamos ver, o que mais quero deixar para você? Você já levou a papelada, não é mesmo? Os artigos que considerar mais adequados, mande para *Revolución y Cultura*, onde talvez alguém saiba apreciá-los; selecione temas do século passado, passam mais fácil. O resto, entregue na Biblioteca Nacional, você sabe para quem. Não perca esse contato, de vez em quando leve alguns charutos para ele, e não se ofenda se ele lançar algum gracejo, porque não passa disso. Vou deixar também o contato no balé. E estas aqui, David Álvarez, as xícaras onde tanto bebemos, quero deixar com você, em depósito. Se algum dia houver oportunidade, mande-as para mim. Como eu disse, são de porcelana de Sèvres. Mas não é por causa disso, é que pertenceram à família Loynaz del Castillo, e foram um presente. Bem, vou ser sincero: na verdade eu as afanei. Meus discos e livros já saíram; os seus, você já levou, e esses que ficam aí são para despistar o pessoal do inventário. Veja se me consegue um *pôster* de Fidel com Camilo, uma bandeira cubana pequena, a foto de Martí na Jamaica e a de Mella com o chapéu; mas rápido, que é para enviar por correio diplomático com as fotos de Alícia em Gisele e com minha coleção de notas e moedas cubanas. Você quer o guarda-chuva para sua mãe, ou a capa?

Eu ia aceitando tudo em silêncio, mas às vezes sentia alguma esperança, e devolvia tudo a ele:

— Mas, Diego, e se escrevermos para alguém? Pense em quem poderia ser. Ou eu vou e peço uma entrevista a algum funcionário, você espera do lado de fora.

Ele me olhava com tristeza, e não aceitava o assunto.

— Você não conhece algum advogado, um desses meio traidores que sobraram por aqui? Ou alguém que ocupe um posto importante e seja uma bicha enrustida? Você fez muitos favores a muita gente. Eu me formo em julho, em outubro já estarei trabalhando, posso lhe dar cinquenta pesos por mês.

Eu me calava quando via que seus olhos ficavam marejados, mas ele sempre encontrava um jeito de se recuperar. Então ele falava:

— Vou lhe dar o último conselho: preste bem atenção na roupa que for vestir. Você não é nenhum Alain Delon, mas tem sua graça e esse ar de mistério que, digam o que disserem, abre portas, sempre.

E era eu quem não encontrava o que dizer, baixava a cabeça e me punha a rearrumar seus pacotes, a revisá-los.

— Não! Isso, não, não desembrulhe. São os inéditos de Lezama. Não me olhe desse jeito. Juro que jamais farei mau uso deles. É verdade que também jurei que nunca iria embora e estou indo, mas nesse caso é diferente. Nunca negociarei esses inéditos, nem os entregarei a alguém que possa manipulá-los politicamente. Juro. Pela minha mãe, pelo

Morango e Chocolate

jogador de basquete, por você, enfim, sei lá. Se der para contornar o temporal sem utilizar esses inéditos, eu os devolvo. Você está achando que não percebo minha responsabilidade? Mas se eu estiver muito apertado, eles podem me ajudar. Você me fez sentir mal. Vamos, me sirva uma bebida e vá embora.

À medida que a data da partida foi se aproximando, ele foi definhando. Dormia mal, e emagreceu. Eu o acompanhava a maior parte do tempo, sempre que possível, mas ele falava pouco, acho que às vezes nem mesmo me via. Encolhido na poltrona de John Donne, com um livro de poemas e um crucifixo nas mãos, pois sua religiosidade havia se exacerbado, parecia ter perdido cor e vida. Maria Callas o acompanhava, cantando baixinho e suave. Um dia ficou (e ficou para sempre, Diego, não vou esquecer aquele seu olhar) me olhando com uma intensidade especial.

— Diga a verdade, David — perguntou —, você gosta de mim? A minha amizade foi útil para você? Eu fui desrespeitoso? Você acha que eu faço algum mal para a Revolução?

Maria Callas deixou de cantar.

— Nossa amizade foi correta, sim, e eu aprecio você.

Sorriu.

— Você não muda. Não falo de apreço, falo de amor entre amigos. Por favor, não vamos mais ter medo das palavras.

Era a mesma coisa que eu tinha querido dizer, não é mesmo?, mas tenho essa dificuldade, e para que ele tivesse certeza do meu afeto e de que, de alguma forma, eu era outro, que eu havia mudado ao longo da nossa amizade, era mais o que sempre quis ser, acrescentei:

— Venha almoçar comigo, amanhã, no El Conejito. Eu convido. Chego cedo para ficar na fila. Você só precisa chegar antes do meio-dia. Ou você prefere que eu venha buscá-lo e que a gente vá junto?

— Não, David, não é preciso. Tudo está bem do jeito que foi.

— É sim, Diego, eu insisto. Sei o que estou dizendo.

— Está bem, mas no Conejito, não. Na Europa, vou virar vegetariano.

Mas, se o que eu queria, ou necessitava, era exibir-me com ele, se aquilo era algo que me ajudava a ficar em paz comigo mesmo... bem, concedido. Chegou ao restaurante quando faltavam dez para o meio-dia, no momento em que havia um monte de gente apinhada na porta, debaixo de uma sombrinha japonesa e vestindo uma roupa que dava para distingui-lo a duas quadras de distância. Gritou meu nome e sobrenome do outro lado da rua, agitando o braço, que ele enchera de pulseiras. Quando chegou ao meu lado, deu um beijo em minha bochecha e começou a descrever um vestido ma-ra-vi-lho-so que acabara de ver numa vitrine e que ficaria perfeito em mim; mas, para sua surpresa e minha, e da fila inteira, defendi, com uma ênfase que ofuscou seu brilho, outra linha de moda, porque nós, os tímidos, somos assim: quando nos soltamos, somos brilhantes. Celebramos, no almoço, a eficácia de sua técni-

Morango e Chocolate

ca para desengomar comunistas. E, passando à minha formação literária, acrescentou novos títulos à lista das minhas leituras pendentes.

— Não se esqueça da condessa de Merlin, comece a investigá-la.

Terminamos com a sobremesa no Coppelia, e depois esticamos no refúgio com uma garrafa de Stolichnaya. Tudo estava maravilhoso, até que a bebida acabou.

— Precisei desta vodca russa para dizer as duas últimas coisas. Deixarei a mais difícil para o final. Acho, David, que em você falta um pouco de iniciativa. Você deve ser decidido. Seu papel, o que lhe corresponde, não é o de espectador, é o de ator. Garanto que desta vez você vai ter um desempenho melhor do que em *Casa de bonecas*. Não deixe de ser revolucionário. Você deve estar pensando quem sou eu para falar assim. Pois eu tenho moral para isso, já lhe disse que sou patriota e lezamiano. A revolução precisa de gente como você, porque ianques, nunca mais, ianques, não; mas a gastronomia, a burocracia, o tipo de propaganda que vocês fazem, e a soberba, podem acabar com isto, e só gente como você pode contribuir para evitar. Não vai ser fácil, estou avisando, você vai precisar de muito espírito. A outra coisa que devo dizer, deixa ver se consigo, porque morro de vergonha, sirva por favor este pouquinho de vodca que sobrou; o que devo dizer é isto: você se lembra de quando nos conhecemos no Coppelia? Naquele dia, eu me portei mal com você. Nada foi por acaso. Eu andava com Germán, e quando vimos você apostamos que eu iria trazê-lo ao refúgio e metê-lo na minha cama. A aposta foi em dólares, aceitei para me animar, para me atrever na abordagem, pois você me impôs sempre um respeito que me paralisava. Quando derramei o leite em você, era parte do plano. Sua camisa ao lado do xale de Manilha, estendidos na varandinha, eram o sinal de triunfo. Germán, é claro, deve ter espalhado por aí, ainda mais agora, que me odeia. Em alguns círculos, como nos últimos tempos só me dediquei a você, já me chamam de a Comuna Louca, e outros dizem que esta minha viagem só de ida é um engodo, e que na verdade sou uma espiã enviada ao Ocidente. Não se preocupe muito, porque esta dúvida flutuando ao redor de um homem, em vez de prejudicá-lo, acaba dando um ar de mistério, e são muitas as mulheres que caem em seus braços atraídas pela ideia de trazê-lo de volta ao bom caminho. Você me perdoa?

Fiquei em silêncio, e ele entendeu que sim, que o perdoava.

— Está vendo? Não sou tão bom como você pensa. Será que você teria sido capaz de uma coisa dessas, nas minhas costas?

Nós dois nos olhamos.

— Bem, agora vou fazer o último chá. Depois você vai embora e não volte mais. Não quero despedidas.

E isso foi tudo. E, quando cheguei à rua, uma fila de meninos da escola primária, com seus uniformes de pioneiros da Revolução, cortou-me o passo. Exibiam os uniformes como se tivessem acabado de ser passados, e levavam ramos de flores nas mãos; e embora um pioneiro com flores fosse, faz tempo, um símbolo gasto do futuro, inseparável dos chavões que nos estimulam a lutar por um mundo melhor, gostei deles, talvez por isso mesmo, e fiquei olhando para um garoto, que ao perceber me mostrou a língua; e então eu disse a ele (disse, não prometi) que o próximo Diego que atravessasse o meu caminho eu defenderia a ferro e fogo, mesmo que ninguém me compreendesse, e que não iria tornar a me sentir mais distante de meu Espírito e de minha Consciência por causa disso, mas, ao contrário, porque, se entendi bem as coisas, isso era lutar por um mundo melhor para você, pioneiro, e para mim. E quis terminar o capítulo agradecendo a Diego, de algum modo, tudo o que havia feito por mim, e agradeci vindo ao Coppelia e pedindo um sorvete como este. Porque tinha de chocolate, mas pedi de morango.

Havana, 1990.

O Anjo
Ihosvany

Chegou no banco e sentou, se apoiou contra o respaldar, semicerrou os olhos e começou a pensar no livro que estava escrevendo fazia dias. Chegou no banco e sentou, dizia agora o romance, e se apoiou contra o respaldar e se dedicou a olhar a paisagem urbana: o Capitólio, a rua Prado com seus portais, o edifício do Centro Galego, o Parque Central, mas tudo em branco e negro, um pouco sépia. Podia se levantar, pegar a Tenente Rey e caminhar até a baía. Gostava daquela parte da cidade com seus labirintos, lençóis e samambaias nas sacadas, fotos de Fidel e do Che, bustos de Martí, Lênin e do Buda, cartazes do Papa e de Bruce Lee, muita gente que vem e que vai, que entra e sai das lojas, que olha você nos olhos e pergunta com um gesto o que você quer, qual é a sua, e a música e o barulho estão em tudo que é lado, a ponto de romper a barreira do som. Se através das janelas você der uma espiada no interior das casas, vai ver mulheres que se abanam e fumam, homens que contam maços de dinheiro, casais em pleno embalo sexual e altares nos quais ressaltam o vermelho e o amarelo. Nos cruzamentos você tropeça com personagens de outras épocas, reciclados com esses bonés dos New York, camisetas Armani ou Dolce&Gabana, tatuagens e dentes de ouro. Falam e dançam uma linguagem que é e não é espanhol. Há automóveis antigos e modernos, táxis e bicitáxis, gritos, suspiros, o fedor apodrecido de certas flores brancas e ácidas, pregões, sêmen, álcool, pressa. Podem afanar a sua carteira ou meter você na cama e fazer você feliz por meia hora e a troco de dez dólares, mas percorrer essas ruas pestilentas e escandalosas é sempre excitante e você pensa em Lezama Liuma, em Antón Arrufat, em Alejo Carpentier, que viriam contra o fluxo principal dos transeuntes, observando. Com sorte, Hemingway e Ava Gardner descem de um Buick na porta do Floridita, ansiosos por um daiquiri depois de um passeio no iate Pilar. Perambulando por essas bandas você descobriu certa tarde o Teatro Martí, onde atuava uma companhia de bufões, e mais adiante topou com García Lorca, o palco de Alícia Alonso, e continuou em frente e passou pelo Snoopy Bar, aberto e cheio, ou o que restava do Snoopy Bar, repleto de escombros ou com um monte de operários que tentam reconstruí-

Morango e Chocolate

-lo, e um automóvel moderno freou e o motorista pôs a cabeça para fora e gritou: "Ô, babaca, acorda, se enxerga", e a mulata e o rufião deram risada.

Ia chover. Umas nuvens negras avançavam pela orla, vindas do oceano. As pessoas correriam para os portais da Prado ou da Monte, uma bela foto de Korda ou Constantito Arias com as figuras em fuga, manchas de sombrinhas e de capas e os primeiros fulgores da chuva. Ele não correria. Ele se levantaria com calma e se refugiaria, já empapado, no portal do cine Payret, onde às cinco e meia começava um filme de samurais. O que ele gostava desses filmes não eram os combates, belos como os melhores momentos de *O lago dos cisnes* ou de *Súlkary*, mas os grandes espaços onde transcorriam e as taças nas quais os personagens mais tarde tomariam chá, e nisso entrou a voz do outro.

— Amigo, se incomoda se eu me sentar no seu banco?

Aquele banco não era dele, era um banco qualquer da cidade, e o recém-chegado sabia disso muito bem, e também sabia que podia se deixar cair no lugar vazio e ficar vivendo ali pelo resto da vida sem necessidade de perguntar nada a ninguém. Mas não, lançou a pergunta e a circunstância o obrigava a uma resposta. Teria que sumir diante do automóvel moderno na Prado, retornar ao parque, abrir os olhos, virar a cabeça para a direita e até sorrir. Fez tudo isso e estremeceu: quem estava importunando era um garotão. Que raça, a dos malandrinhos de Havana! Ele odiava todos eles, seria capaz de botar todos juntos dentro de um saco e jogar na parte mais podre da baía. A cara parecia recortada de uma revista italiana, e o sorriso, tirado de um anúncio de pasta de dentes. Usava uma camisa branca bastante suja, e a única coisa cuidada era o cabelo, porque na certa se penteava cada vez que passava na frente de um espelho. Ele estava tranquilo, vagando pelas ruas da cidade e sentado no banco, e vinha aquele sujeitinho chamando para a realidade, para um dia de um ano específico. Que bom seria dizer: "Sim, me incomoda, me dá nos colhões, por que não procura outro banco? Não está vendo que tem milhares de bancos vazios no parque? Não enche o saco!".

— Não, não me incomoda — disse.

— Eu sou o Yovani, amigo — disse o outro.

Aí está uma coisa que você aprende com Hemingway. Por mais *disse* e *disse ele* e *disse o outro* que você usar, não vai se cansar nunca. O recém-chegado estendeu a mão e sorriu com seu sorriso realmente esplêndido, com sua dentadura perfeita e os olhos claros, mas não tão claros e por isso mesmo mais especiais ainda. Por que você está me estendendo a mão? Essa mão pegajosa que sabe-se lá desde quando não é lavada, e muito menos por onde andou. Senta logo e não me aborreça.

Terminado o breve cumprimento, se reacomodou na sua parte do banco e lançou o olhar o mais longe possível, até os anjos que arrematam as cúpulas do Centro Galego, recortados agora contra a nuvem negra que já subia pela Prado. Assim deixava claro ao bonitinho que não era porque dividiam o mesmo assento que precisavam começar

Morango e Chocolate

um diálogo ou coisa parecida. Deixaria passar um par de minutos, olharia o relógio e, como se tivesse chegado a hora de um compromisso, se levantaria e iria embora sem nem se despedir. Os anjos, belos como rapazes colegiais, pareciam a ponto de levantar voo.

— Quanto tempo será que esses bichos levam aí, amigo? — disse o outro. — São de bronze, sabia? Antes, quando faziam alguma coisa, faziam para a vida inteira. Antes não existia nem o plástico nem o silicone nem os travestis.

E isso que caralho me importa? Dedicou ao outro um meio sorriso de cortesia, mas ficou em silêncio. Apoiou o braço no banco e girou a cabeça para a esquerda. Tudo continuava em branco e preto: o Capitólio, a rua Prado, o cine Payret, o Parque Central ao longe. E agorinha mesmo passava diante dos dois um Chevrolet vermelho 57, mas em branco e preto, e os olhos verdes do fulano e os lábios encarnados também eram em branco e preto, e claro, o cabelo também.

— As mulheres são foda, amigão — disse o outro. — Será que você é capaz de imaginar o que me aconteceu ontem, e que até agora me deixa com a cabeça dando voltas e sem poder voltar para casa?

Eu sabia que viria com essa, belezinha, James Dean tropical, embrião de Brad Pitt. Foda-se você. Pergunto: "O que foi que aconteceu com você, amigo?", e aí me solta uma história simpática e incrível sobre mulheres, e no fim da história não haverá outra saída a não ser convidar você para tomar alguma coisa. Essa é a especialidade dos malandros de Havana, e dos malandrinhos em geral. Não se trata apenas de seduzir as mulheres, mas os homens também, e entre os homens preferem os tímidos, os que, como eu, precisam de um empurrão até para entrar num bar e tomar alguma coisa e conversar um pouco, e não vamos nem falar de conquistar uma mulher e acabar indo parar numa cama. Eles sabem disso, e sabem também que pagamos a qualquer um que nos ajude a pular o muro da timidez. Mas comigo não, violão. Comigo é o rabo contra a parede. O bom de ser inteligente é perceber tudo num minuto.

— O meu Yovani não é Yovani, amigão — disse. — É com um agá intercalado e com um ípsilon no final. Não é Yovani como soa, mas I-h-o-s-v-a-n-y, entende? Mas eu digo para todo mundo que me chamo Yovani porque é mais fácil de pronunciar e mais fácil de tudo. Você também me chame de Yovani, mas na minha carteira de identidade o que diz é Ihosvany, com agá e ípsilon.

O truque clássico, o fulano quer me provar que não está mentindo, e que se não mente nisso não mentirá no que vier depois, e é bom pensar nisso. Mas ele mente, mente nisso e vai mentir no que vier depois. Mente até mesmo na falsa carteira de identidade. Aposto que é. Qualquer um sabe como se chama, e, além do mais, o que é que eu tenho a ver com isso?

— Quer ver o documento?

— Não, não precisa — eu disse —, você se chama Ihosvany e todo mundo chama você de Yovani, tudo bem. Hoje os

Morango e Chocolate

nomes são muito estranhos, eu mesmo me chamo Oscar ao contrário.

— Racso? Não brinca. Homenagem ao pai ou ao avô?

— Ao avô.

Pronto: já estamos conversando.

— Vou chamar você de Rac. Soa bem, não é mesmo, Rac?

— Vamos em frente.

E nisso, Ihosvany deixa os nomes de lado e procura, ansioso, a carteira de identidade nos bolsos, insiste em mostrar. Fica de pé e também procura nos bolsos de trás do *jeans*, até ficar assustado.

— Ai, meu Deus, e meu documento? Não estou com minha carteira de identidade e já sei onde deixei. Mas não posso voltar lá. Amigão, santa mãe, o que a gente faz quando perde um documento? É uma confusão danada, não é?

— Não. Você vai até uma delegacia e faz o boletim e tira outra carteira e pronto.

— Fácil assim? Que nada, meu chapa, estou metido num rolo tremendo. Imagine você que me sentei neste banco para pensar na história que vou inventar para minha mulher quando eu chegar em casa e agora estou sem meu documento. A primeira coisa que ela vai fazer é me perguntar pela carteira de identidade. Está barriguda, sabe?, e quando elas ficam barrigudas são mais susceptíveis e eu saí ontem de manhã e ainda não voltei e agora volto sem minha carteira. Por que você não me ajuda a inventar uma história que sirva para eu me explicar para a minha mulher? Vamos até aquele bar ali, mandamos ver uma bebida, conto o que me aconteceu e você me ajuda a encontrar uma boa desculpa que a convença. Quero dizer: se você tiver dinheiro, porque eu, com o que me aconteceu, fiquei a zero; não é só que perdi meus documentos, é que fiquei mais duro que pedra...

Eu não disse que você quer me dar um balão, Ihosvany com agá e com ípsilon? Ihosvany, o bonitinho, dava voltas pelo espaço e pelo tempo à caça de um babaca que pagasse uma bebida para ele e assim que me viu soube que havia encontrado sua presa. Mas você não devia sentir tanta certeza, meu velho, coisa fina. E que tal se eu disser: "Nem duro que nem pedra nem nada, sinto muito, amigão, mas eu não bebo e vou cair fora porque tem uma coelhinha me esperando no Payret, a gente vai ver um filme de samurais; muito prazer, outro dia você me conta sua história, valeu?"

— Para duas doses, eu tenho.

Ihosvany se levanta num pulo, contente e surpreso que o truque tenha funcionado uma vez mais.

— Pois vamos andando, que é gerúndio.

O que essa gente não faz para beber alguma coisa!

Saíram caminhando até o bar do hotel New York, onde sempre tem alguns bebadinhos. Agora o New York está fechado, mas naquele tempo não, e o bar funcionava e qualquer um podia entrar. Yovani passou o braço sobre os ombros dele, como se fossem velhos camaradas. Num filme, a câmera permaneceria ao lado do banco e filmaria os dois de costas enquanto se afastavam. Também é provável que se eleve um pouco para uma tomada de cima, que ressaltasse o chão previamente molhado. Em quaisquer dos dois casos, eles terão que parar na beira da calçada para deixar passar vários automóveis em branco e negro e em seguida atravessarão a rua e se afastarão beirando o Capitólio. Essa rua é a Reina ou senão a Dragones. Uma das duas, aposto o que você quiser. Um pouco mais adiante começa o bairro chinês que a única coisa de chinês que tem são os chineses.

— Foi minha tia quem me botou Ihosvany — diz Ihosvany já na mesa do bar, onde não é possível apoiar os braços porque dá nojo. — Eu fui criado pela minha tia porque minha mãe não tinha um centavo, um dia agarrou uma balsa e foi-se embora para Miami e me abandonou, e deve estar lá vivendo *la dolce vita e a aventura*. Mas que aproveite, não é?, afinal é minha mãe, por que vou querer o seu mal?; que aproveite e que se dê tudo que eu aproveito e me dou aqui em Havana, e se algum dia se lembrar de mim e me mandar uns dólares e um par de camisas bem alinhadas eu aceito, e até você vai se dar bem porque lhe dou uma de presente, você e eu devemos usar o mesmo tamanho, mais ou menos. Não sinto nenhum ódio por ela.

Conhecia o bar. Quando entramos cumprimentou quase todo mundo. Também era conhecido, mas não devolveram o cumprimento. Alguém, talvez, olhou com pena o infeliz que o acompanhava e pensou: "Caramba, Yovani conseguiu pescar; vai ver, essa tarde ainda consegue uma comidinha quente na casa de Emelina, e vai ver consegue até uma sessão com as sobrinhas". Esse foi o *barman*. Estava no final do balcão, quase engolido pela escuridão, limpando umas unhas com as outras e pensando na vida. Ele nos viu quando aparecemos e nos seguiu com os olhos até que nos sentamos na mesa que Ihosvany escolheu. Não estava nem um pouco preocupado com a chegada de novos clientes, mas sabia que em algum momento ia ter de vir até onde estávamos e perguntar o que a gente ia querer, porque essa era a mecânica do lugar. Era um homem de estatura mediana, robusto, ruivo, de rosto duro, irascível, e estava de mau humor por algum motivo impossível de adivinhar. Ihosvany teve tempo de me largar a história inteira da tia antes que ele chegasse até a nossa mesa.

— Duas? — disse.

— Sim — eu disse —, a gente não deve odiar ninguém, e muito menos a própria mãe.

— Sim, Charly, duas — disse Ihosvany, feliz por poder mandar, e iluminou o ambiente inteiro com um de seus sorrisos.

Para Charly, foi o suficiente. Foi buscar a bebida.

— Por que a gente não pede alguma coisa para beliscar? — disse Ihosvany. — Não se preocupe por causa de dinheiro. Não tenho um centavo, mas amanhã tenho, e daqui a gente vai para a minha casa e você come e economiza o que ia gastar para comer e pode até tomar banho e dormir se quiser porque tenho um sofazinho que não é lá essas coisas, mas funciona. Minha mulher está grávida, mas cozinha direitinho.

Morango e Chocolate

Disso também vivem os Ihosvany, de prometer e cobrar por antecipado promessas que não acham que vão, nem pensam em cumprir. Nisso, aliás, se parecem a um amigo meu que faz aniversário hoje. Na minha última viagem a Holguín, me contou uma vez esse meu amigo, vi uma máquina de escrever Underwood que parecia ter sido feita para você, era como se tivessem feito expressamente para que você escrevesse esse grande livro que eu sei que você vai escrever, e pedi ao dono que me vendesse aquela máquina, pois sabia que ele não usava; chorei, supliquei, me revirei pelo chão, disse que pagava o dobro, expliquei quem você era e o futuro que você tem pela frente, disse que pagava com dois galos de briga, ou em dólares, que trocava por outra nova, por uma impressora e um fax que tenho lá no meu trabalho, mas qual o quê, o sujeito não cedeu porque já tinha a máquina prometida para alguém, e é um homem de palavra, disse, e você acabou ficando sem a máquina, meu velho, quando já estava com ela na mão ou quase, e fiquei assim tão triste, caralho, quase chorei. A troco disso meu amigo espera que eu, como recompensa pela sua boa intenção, vá até o supermercado, compre uma boa paleta de cordeiro, arroz, aipim, uma salada inteira, banana macho para fritar, porque é assim que chamam a banana-da-terra, banana macho, e uma garrafa de rum, um sorvete de creme ou de chocolate, e ofereça um banquete como se a Underwood estivesse na quina da mesa ouvindo a conversa. Que esse meu amigo não me encha o saco! É como Xangô, que oferece uma bananinha a troco de um cavalo.

— Está bem, vamos pedir alguma coisa — disse eu.

— Charly, parceiro, traz também uma porção de croquetes.

— Com ou sem? — pergunta Charly lá de longe.

— Com, não é? — ele me pergunta.

— Sim, com.

— Com, Charly.

— Vão ter de esperar — disse Charly.

— Então, a gente espera, não é?

— É.

— A gente espera, Charly.

— Dois com! — Charly grita para alguém que deve estar em algum lugar.

Yovani olha para mim e sorri. De repente vira percussionista e batuca um numerinho na beira da mesa. Está contente. Pensando bem, era como estar sentado num canto do bar do New York com Alain Delon, Marlon Brando ou Jorge Perugorría antes que envelhecessem, esticassem as canelas ou engordassem e se metessem a virar pintor. Todo mundo que entrava mandava um olhar para a nossa mesa, principalmente as mulheres. Alguma acabaria se aproximando para pedir as horas ou um cigarro e se tiver vindo com uma amiga, ela também se aproximará e será a mais feia e claro que vai querer ficar comigo. Tenho certeza disso, e também que vou pagar a conta dos quatro e a diária do motel se a coisa chegar a esse ponto. Na parede havia uma foto imensa de Nova York. A estátua da Liberdade não aparecia nem a Ponte do Brooklin nem a Times Square, mas tinha de ser Nova York porque a gente estava no New York. A foto era imensa, em branco e negro, e era também o cagadouro oficial das moscas do New York. Suponho que para o *making of* vão me botar sentado nesse mesmo lugar, com a foto atrás, e me perguntar: "O que significou para você trabalhar com esses monstros da tela, Alain Delon, Marlon Brando e Jorge Perugorría?". "Para ser sincero, não foi nenhuma coisa do outro mundo; não acho que nenhum deles seja um grande ator. Marlon Brando cospe em inglês e, cá pra nós, em *Um bonde chamado desejo*, você escolhe o lado dele ou o lado de Blanche? Quanto aos outros, prefiro não comentar. Agora, se o senhor for, como parece que é, uma bichona, entendo que seu cu faça biquinho para qualquer um deles." Um escândalo. Se já existir a internet, vou sair nos *blogs* de Alberto Guerra, Rafael Grillo e Kevin Fernández, o iconoclasta e talentoso escritor.

Yovani vestia uma roupa amarfanhada e suja, conforme eu já disse, e é possível que não comesse um prato quente nem dormisse numa cama fazia dias ou semanas, e por isso mesmo quando os croquetes chegaram avançou sem compaixão e sem nem pensar em deixar um para mim. Os croquetes pareciam de couro cru. "Coitado", pensei, "e quando não consegue enganar ninguém, vai viver de quê? Não tem mulher que o aguente mais de três dias; depois de uma boa trepada, ela vai querer tirar umas fotos do lado dele, para mostrar para as amigas, e em seguida manda esse coitado para o olho da rua." Parei por aí porque sabia que a melhor maneira de afundar junto com essa raça é sentir pena dela. Resolvi observar Charly. Devia descender de irlandeses ou de bascos, e das barras mais pesadas desses povos, e acho que nem se chamava Charly, mas disse que se chamava para facilitar as coisas nesse bar. Vejo Charly chegar em sua casa, numa dessas ruas do Bronx onde os edifícios estão conectados nas calçadas por essas escadas com corrimão onde sempre estão sentados os vagabundos. Como vai, Charly? Como foi o movimento de hoje? Foi bom, obrigado por perguntar, responde Charly sem se deter. Entra no apartamento e vai direto para o banheiro, onde está a mulher amarrada e amordaçada, sentada numa cadeira, seminua, com os seios rosados, atravessados por umas veiazinhas azuis. Ele se senta na privada e antes de desamarrá-la bebe meia garrafa de gim barato que trouxe do bar, e entre um gole e outro vão se olhando olho no olho e se excitando. Os dois sabem que não podem continuar desse jeito, mas não sabem como parar com isso. Não vou continuar com Charly, mas esse sujeito dá para um tempão, e a mulher mais ainda, é pior que ele. Atrás do balcão, Charly continua com a questão das unhas; de repente vira os olhos e entra em êxtase, como se no meio das suas pernas uma anã começasse a chupá-lo naquele momento. Na minha frente, Ihosvany liquida os croquetes e limpa os dedos engordurados de uma mão na palma engordurada da outra.

Morango e Chocolate

— Estavam bons. Aqui pertinho tem uma senhora que vende uns pratos feitos por vinte pratas. Arroz e feijão, bisteca de porco, salada mista e batata frita. Com esses croquetes, para mim está bom, mas depois, se a gente quiser e você tiver interesse, a gente passa por lá. Vai ver, daqui a pouco você fica com fome, mas fique sabendo que para mim a Emelina dá desconto ou nem cobra. Vem cá, por onde é que você andava ontem?

— Eu moro para os lados da praia.

— Pois ontem, aqui em Havana, houve um temporal danado, caiu um granizo desse tamanhão, ficou sabendo?

Faz parte da técnica: uma dose de verdade. Eu mesmo me surpreendi com o temporal de granizo de ontem nos portais da Belascoaín. Estava procurando a casa de uma pessoa que não apareceu nunca.

— Ouvi dizer.

— Vocês, do interior, chamam tudo de Havana, a grande metrópole, mas nós só chamamos de Havana esta parte daqui. Pode ser que esteja chovendo aqui e na praia não, entendeu? porque a gente também não chama de praia o que é praia, mas só o bairro chamado Praia. Espero que você não se incomode de eu ter dito que você é do interior, não foi para ofender.

— Não, não. Eu sei que sou do interior.

— É só pela maneira de falar, entende?, não por causa do jeito de caminhar nem por causa do jeito de se vestir. É pelo jeito de falar. Ontem, eu tinha saído do trabalho e ia correndo para chegar em casa antes que o temporal caísse porque minha mulher morre de medo dos trovões e está grávida, contei isso?

— Contou — respondi.

Que coisa! "Ontem, eu tinha saído do trabalho." Ora, você nunca trabalhou na vida, Ihosvany. E ia para casa, qual casa, amigão, se você não tem casa? E que mulher grávida de meia-pataca é essa, se você não tem mulher? Uma coisa é eu pagar uma bebida e uns croquetes, e outra coisa é acreditar em você.

— Na correria, passei na frente de um cortiço, você sabe o que é um cortiço?

— Não sou de Havana, mas sei o que é um cortiço. Guillermo Cabrera Infante, por exemplo, morou num cortiço perto daqui.

— Ah, é verdade. Eu gosto mais dele como crítico de cinema que como romancista. Pois eu ia passando na frente do cortiço, a umas sete ou oito quadras daqui, e ia queimando a sola do tênis porque o aguaceiro estava a ponto de desabar quando ouvi alguém me chamando: Psiu, psiu, menino, vem cá. Viro e vejo uma dessas mulatas que ao mesmo tempo são meio orientais encostada na entrada do cortiço. Uma Oxum, uma virgem de la Caridad moderna. Vestia umas calças amarelas apertadas nas cadeiras, uma blusinha também amarela, só que mais clara, que deixava ver o umbiguinho redondo e ressaltavam os ossos das cadeiras e as omoplatas, e sandálias de sola de madeira. Parei em seco

Morango e Chocolate

porque gosto muito de ossos, vejo uns ossos como aqueles e fico de pau duro na hora. Qualé a dessa pressa toda, garoto? — me perguntou. Porque vai chover, princesa, você não ouviu o boletim do tempo do doutor Rubiera? Olha aqui, ela disse, cê tá é maluco, não vai chegar a lugar nenhum, vamos pra dentro de casa senão tu vai é te molhar e vai pegar gripe, garoto, não seja teimosinho. Ah, bom, eu disse, e aceitei o convite. E assim que entramos no casarão ou cortiço percebi que tinha me metido na boca do lobo porque aquilo lá era um antro de macumba e de maconha, mas aí eu já estava lá dentro. Em algum lugar, no porão ou no sótão, uns negros começaram a esquentar os tambores. Ajuda aqui a amarrar a cachorra, disse a mulata enquanto arrastava as sandálias e remexia a cintura e a bundinha na minha frente, porque quando tem trovoada ela fica toda nervosa e até morde a gente, coitadinha, tem uns quinze anos. E pra não esticar o papo, quero dizer, para não alongar o assunto, quando chegamos no fundo do quintal subimos uma escada em espiral de metal durante uma eternidade e chegamos na casa dela, um quartinho de quatro por quatro grudado no alto do edifício, como um asteroide no espaço sideral ou um chiclete no céu da boca, e assim que entramos alguém com uma voz meio rouca disse lá do alto, porque ainda tinha uma espécie de outro andar lá dentro: Quem é que tá aí? Sou eu, mana, que estou chegando com um amigo; vai começar a chover e ele ia se molhar inteiro e eu trouxe o pobrezinho. E me disse num sussurro, como um grande segredo: Ela faz um chá de

117

limão delicioso, com hortelã e tudo, peça para ela preparar um para você, faça isso; e disse para a irmã: Vem cá, desce aqui, Marta, não quer conhecer ele? é um gatinho e tem olhos verdes. Ouviu-se um pisar de sandálias lá do alto e por outra escada em espiral, mas de madeira, baixou uma segunda mulata, também de calças e blusinha amarelas e também meio oriental e com sandálias de sola de madeira e com ossos. Ficou ao lado da primeira. Eram iguaizinhas e as calças e as blusinhas e as sandálias também. Olharam para mim com olhos caídos, sorriram e de repente se abraçaram e deram umas voltas e quando se separaram eu já não sabia qual das duas era a primeira nem qual era a segunda, e ao ver isso meu pau quis rasgar o *jeans* das calças e só não rasgou porque é *jeans* russo. Elas perceberam e começaram a rir. Como você é assanhado, garoto, disseram ao mesmo tempo. Eu me envergonhei um pouco e me pus de perfil, que nem os egípcios.

E nesse ponto Ihosvany se interrompe.

— Esse anel aí é de ouro ou de prata?

— Como é que vai ser de prata se é dourado?

— Não, não, quero dizer, é de 10, 14, 24 ou 28 quilates?

— Sei lá, era da minha mãe, deve ter um monte de quilates porque é um anel que está na família há muito tempo, desde a última Guerra da Independência contra a Espanha. Quem trouxe para Cuba foi meu bisavô ou meu tataravô das Ilhas Canárias.

— Oscar.

Morango e Chocolate

— Não, o outro. Oscar é o do meu pai, Antônio o da minha mãe.

— E serve para homem e para mulher?

— Acho que sim, porque é liso.

— Vou te dizer: é bem bonito, e eu conheço um fulano com quem você pode, com esse anel aí, fazer um tremendo bom negócio.

Mas ele esquece o anel e volta para a história.

— Uma se chamava Marta e a outra Mirta e eram gêmeas ou disseram que eram. Amarramos a cachorra e, subindo por outra escada em espiral, desta vez de cimento, chegamos até o terraço que ficava no topo do edifício, que é onde estava a cama porque de manhã tinham levado a cama para lá dar um banho nela, de água quente e creolina, e matar os percevejos. A gente jogou uma lona em cima da cama, a gente se enroscou em cima da cama, e começamos a nos beijar e a nos lamber sem nos preocupar muito com quem fazia o quê com quem nem onde. E como elas mordiam, chupavam e beliscavam, era uma delícia. Uma empurrava a outra para morder meu cacete por cima da calça e eu chupava nelas os ossos das cadeiras e as clavículas e as vértebras da coluna. Quando fiquei em ponto de bala tirei as calças e elas tiraram em seguida e foi quando percebi que uma das duas não era ela, era ele. Foi um freio a disco, sinceramente, e pensei em me vestir e cair fora. Mas naquela altura dos acontecimentos, também pensei, não dava para começar a reclamar, e então chamei as duas de puta e agarrei uma pelos cabelos e joguei para o pé da cama e a outra para a cabeceira, como se fossem cartas de baralho, e fui para cima e começamos a nos morder e a nos chupar e a arrancar sangue e acho que a gente teria se comido vivos e então uma delas disse: Você gosta de masoquismo, meu macho? Eu não gosto de nada esquisito, mas para não parecer caipira, quero dizer, uma pessoa atrasada, seja ou não do interior porque dá perfeitamente para ser do interior e não ser atrasado, disse que sim e então com quatro meias grená que elas tinham, uma cor psicodélica bastante difícil, mas que, como eram ou se faziam passar por gêmeas, tinham dois pares, amarraram meus tornozelos e meus pulsos nas quatro quinas de ferro da cama e cobriram meus olhos com uma fita dourada, de franjas, e subiram em cima de mim e começaram a me fazer masoquismos em tudo que é lugar, primeiro uma, depois a outra, depois as duas ao mesmo tempo; primeiro com a boca, depois com as unhas, depois sem a boca nem as unhas, e eu sofrendo e gemendo e me contorcendo porque, como estava amarrado pelos pulsos e pelos tornozelos com as meias grená nas quinas da cama, não podia me defender, e a cama gemia e os tambores dos negros soavam lá do porão ou sei lá de onde, e o melhor ou o pior foi quando começaram a chupar minha pica fazendo barulhinho, porque se limitavam à pontinha; e eu implorava com lágrimas nos olhos que chupassem ela completa e elas diziam que não, que se chupassem completa não era masoquismo, que tinha de ser a

Morango e Chocolate

pontinha com a pontinha da língua; e como com o forcejar e o sofrimento a fita dourada de franjas que cobria meus olhos tinha deslizado, vi que a que não era fêmea afundava o dedo do meio num pote de geleia de manga que tinham trazido, e então, você lembra que estava a ponto de chover no começo da história, pois a chuva disse a gregos e troianos, Aquiles e Heitor, Homero e Jonas Sawimbi, aí vou eu, e de um momento a outro começou a cair um temporal de água e granizo, com raios e ventania que nem me diga, um furacão e um dilúvio, e Mirta e Marta saíram em disparada, gritando que não podiam se molhar porque tinham edema pulmonar e sumiram na correria, trovejando suas sandálias de sola de madeira pela escada em espiral e me deixaram sozinho lá no topo do prédio, à mercê da terrível tempestade negra e de seus granizos descomunais que caíam feito pedradas, e os negros, onde quer que estivessem, tinham ficado loucos com seus tambores. Por sorte voltaram dez minutos depois, enroladas em duas capas amarelas e debaixo de duas sombrinhas de cor turquesa. As duas, uma ajudando a outra, me desamarraram e me desceram pela escada em espiral quase desmaiado, e lá dentro da casa, jogado no sofá e coberto com uma manta carmesim, enquanto uma preparava para mim um chá de limão com hortelã a outra me secava com uma toalha verde-oliva que algum recruta deve ter esquecido por lá, e ao mesmo tempo besuntava minhas partes com arnica, porque, veja você, lá no terraço do topo do prédio, de barriga para cima e

SENEL PAZ

debaixo da tormenta, devo ter sido o primeiro cidadão da República de Cuba a ficar com a pica coberta de vergalhões e manchas roxas por causa da tempestade de granizo, e agora o que é que você quer que eu diga lá em casa, que história vou contar para a minha mulher acreditar e me perdoar, agora eu vou chegar em casa sem meus documentos, e ainda por cima ela está grávida?

Não vou dizer que não gostei da história. Gostei. Pouco importa se fosse mentira ou verdade, e que a encenação parecesse coisa do Glauber Rocha. Acho até que o que os negros tocavam era "Cadê Tereza?". Estamos em Havana, e qualquer coisa pode acontecer. Sinceramente, acho que Ihosvany mereceu a bebida e os croquetes, e o que mais precisasse ter sido pago. Não me enganei quando resolvi ir com ele até o bar, mas o mais interessante de tudo foi que enquanto ele contava sua história eu me pus a lembrar de outra, a não menos incrível da mulher manca que pedia carona debaixo de um algarrobo na estrada velha que vai de Zulueta a Remédios, na antiga província de Las Villas. É uma coisa que me acontece com frequência e não com uma, mas com várias histórias, igualzinho ao cinema moderno quando dividem a tela em vários quadros. No principal, um amigo me fala de uma situação séria que o sufoca e sobre a qual precisa de um conselho; no seguinte, converso com outra pessoa sobre outro assunto novo; no terceiro, enquanto viajo de trem, penso na morte ou na passagem do tempo e me angustio; no quarto, me vejo com meu pai,

Morango e Chocolate

no quintal da casa, sentados no tronco de uma árvore queimada, dizendo a ele tudo que sempre quis dizer; e no quinto, dois policiais caminham com Charly algemado, passam pelos vagabundos da escada que olham sem falar, e metem Charly no automóvel com certa amabilidade, e por aí vai até completar oito janelas na tela, que é o recorde atual. Meus interlocutores, nem mesmo o que corresponde à vida real, não percebem minha distração porque em nenhum momento afasto o olhar deles ou dou mostras de cansaço ou de ausência; ao contrário, não deixo de olhar para eles, embora às vezes deixe de vê-los e até perco a consciência de onde estou, mas no final de suas lenga--lengas, cuja conclusão acabo adivinhando, talvez porque subam o tom de voz ou a emoção do final os torne mais enfáticos, dou um tapinha em seu ombro e digo: "Pois é, amigão, o mundo anda desse jeito, o mundo anda desse jeito", ou então: "Faça o que tiver de fazer e esqueça esses peixinhos coloridos, eu confio em você", e com isso ficam satisfeitos, felizes porque ainda existe alguém, pelo menos um, que presta atenção aos problemas dos outros.

A história da mulher manca é uma história do interior e de quando eu era jovem, mas o que se há de fazer... A manquinha parava debaixo de uma árvore frondosa, o algarrobo que ficava na beira da estrada de Zulueta a Remédios, conforme eu já contei, com um saquinho de tangerinas na mão, e fazia sinais para tudo que é veículo que passava. Por causa de um acidente ferroviário ela não tinha a perna direita a partir da metade da coxa, mas isso não a impedia de andar para cima e para baixo de todos os povoados da região com um par de muletas. Gostava de cerveja e da vida alegre e tinha um rosto lindo, como o de Cabelinho de Mel, a do conto Cabelinho de Mel e os três ursinhos, porque era loura. Passando por alto a questão da perna, era boazuda, de acordo com a opinião geral. A própria perna que conservava era bem boazuda, e as pessoas achavam que a que faltava também devia ter sido. Todo mundo queria trepar com ela porque ela tinha fama de ser mestre no assunto. Os motoristas de caminhão eram os seus preferidos. Eles paravam as carretas de tubos de irrigação ou de fertilizantes na beira da estrada e a deixavam subir, e um quilômetro e meio mais adiante viravam à direita para se dirigirem a um terreno baldio que todo mundo conhecia, escondido no meio dos pés de gabiroba do mato. A manquinha, assim que o motorista abandonava a estrada, criava o maior alvoroço. Mordia, arranhava, brandia as muletas, clamava por Deus e pela polícia, avisava ao motorista que a pena por violação era de vinte anos e que por ela ser impedida fisicamente, carregavam mais dez, tocava a buzina e amaldiçoava sua sorte e todos os homens. O fulano, já no meio dos arbustos de gabiroba e com o motor desligado, tentava convencê-la por bem, oferecendo dinheiro ou mostrando por cima da roupa o cacete pronto, mas a manquinha não queria saber de nada até o caminhoneiro perder a paciência, arrancar à força o par de muletas, que era atirado longe ou guardado

Morango e Chocolate

no porta-malas, e gritar: "Olha aqui, Cabelinho de Mel, ou você trepa como Deus manda ou esqueça essas muletas!". Estamos falando de senhores que eram praticamente salteadores de caminho. E, nessas circunstâncias, a manquinha escolhia a primeira opção, e depois de derramar umas lagriminhas trepava feito uma égua, segundo dizem por aí. Depois do segundo *round*, já íntima do motorista, a manquinha descascava uma das tangerinas que trazia no saquinho, introduzia um gomo lá no seu fundo mais fundo e pedia ao violador que fosse buscar com a língua. Na verdade era disso que todos mais gostavam, o que deixava todos loucos. Era o saquinho de tangerina e não a mulher manca que fazia com que eles parassem ao lado do algarrobo da beira da estrada, e enquanto o sujeito fazia seu trabalho de busca e captura, arrebatado pelos odores e sabores da cova e do escorregadio e furtivo gomo, ela, sem parar de uivar, gemer e se contorcer, introduzia os dedos de seu único pé no bolso traseiro da calça do homem, tirava a carteira, abria, pegava parte do dinheiro e a carteira de motorista, lia o endereço do desgraçado por cima do ombro dele, e também a placa do veículo, e devolvia o documento à carteira e guardava tudo no bolso novamente, como se fosse a coisa mais natural do mundo, e continuava a gritar e a gemer, e foi por isso que ela foi morta, segundo dizem por aí. Desandou a ameaçar os violadores dizendo que ia aparecer em suas casas e contar tudo para suas mulheres se não dessem a ela dinheiro aos montes. E, como falava a sério, foi picada em pedacinhos, as muletas inclusive, e os pedacinhos foram espalhados pelo território de três províncias. A não ser nos jornais, o caso foi comentado em tudo que é lugar. Mas o impressionante, e que deixou a comarca inteira muda, não foi o crime, mas a manca continuar aparecendo debaixo do algarrobo com o saquinho de tangerinas na mão e o mesmo par de muletas, sorrindo e fazendo sinais para os caminhoneiros. Ninguém mais quis passar por ali, e foi preciso construir uma estrada nova, essa que a gente tem agora. O governo disse que a obra correspondia aos planos para desenvolver a região, mas ninguém comentou nem falou nada disso, a não ser os jornais. Essa foi a história que me passou pela cabeça enquanto Ihosvany contava a dele. Eu mesmo vi a manca uma vez, parada na rodoviária de Placetas. Não tinha nenhum saquinho de tangerinas nas mãos, mas era ela, sem dúvida.

Ihosvany me sugeriu que, antes de aconselhá-lo sobre sua mulher, pedisse outro par de bebidas e algum tira-gosto, e chegou inclusive a me recordar a possibilidade de, mais tarde, passar pela casa de Emelina e mandarmos ver um bifão, e disse que eu não me preocupasse porque de lá iríamos para a casa dele, onde podíamos dormir e tomar banho. Quer dizer, eu tomaria um banho, é claro, e ele iria dormir com a mulher, se ela o perdoasse. E se não perdoasse, não havia outro remédio a não ser dormirmos os dois no sofá. Chamei o irlandês e pedi um duplo para o meu amigo, um simples para mim e outra porção de croquetes com. Enquanto o garçom anotava o pedido observei que ele tinha arranhões nos bra-

Morango e Chocolate

ços e uma clara mordida no pescoço, perto da orelha. Ao notar que eu estava observando deteve o lápis e me olhou fixo, me forçando a desviar a vista. Paguei adiantado e com gorjeta, e disse a Ihosvany: "Ihosvany, preciso telefonar, é muito urgente; vou até o telefone da esquina, não beba tudo, espere, que eu volto para fazer um brinde. Gostei muito da sua história e vou fazer uma proposta por ela".

— Deixa o anel comigo para eu dar uma olhada e pensar no negócio que você pode fazer com aquele sujeito de quem falei — ele disse.

— Quando eu voltar vou até o banheiro e tiro o anel, porque ele não sai se eu não ensaboar a mão.

Quando cheguei na rua desandei a andar a todo vapor, quase corri. Virei a primeira esquina e em seguida a outra e a outra e continuei andando e mudando de rua até que achei que estava suficientemente longe do New York. Eu me sentia exausto pelo esforço e me deixei cair num banco, apoiei a cabeça no encosto e fechei os olhos. Um golpe de ar que vinha do mar me trouxe um forte cheiro de chuva e fiquei escutando os ruídos da cidade até que alguém ao lado me disse:

— Amigo, se incomoda se eu me sentar no seu banco?

— Não, claro que não — respondi, enquanto abria os olhos e me ajeitava no banco.

O sujeito se sentou, abriu o jornal que trazia e começou a ler. Eu olhei para ele de viés.

Impressão Neo Graf